D0532962

Ce livre, publié dans la collection «Romanichels»,
a été placé sous la supervision éditoriale
de Josée Bonneville.

Sayonara

DU MÊME AUTEUR

ROMANS ET NOUVELLES
Tropiques Nord, VLB éditeur, 1990
Eldorado, Les Éditions de la Pleine Lune, 1994
Sirène de caniveau, Liv'éditions, 1999 ; Les Éditions de la
Pleine Lune, 1998
Une femme de trop, Liv'éditions, 2002
L'Iroquois, XYZ éditeur, 2006, et les 400 coups, 2007
Animal, Éditions XYZ, 2010

JEUNESSE
Pas de poisson pour le réveillon, Éditions du Boréal,
coll. « Boréal Junior », 2003
Saïda lemacaque, Éditions du Boréal, coll. « Boréal
Junior », 2005
Salsa la belle siamoise, Éditions du Boréal, coll. « Boréal
Junior », 2006
Les rats de l'Halloween, Éditions du Boréal, coll. « Boréal
Junior », 2008
Les ombres de la nuit, Éditions du Boréal, coll. « Boréal
Junior », 2010
C'est dans la poche !, Éditions Hurtubise, 2014

Pascal Millet

Sayonara

roman

XYZ
éditeur

Catalogage avant publication de Bibliothèque et Archives nationales du Québec et Bibliothèque et Archives Canada

Millet, Pascal

    Sayonara

    (Romanichels)

    Texte en français seulement.

    ISBN 978-2-89261-849-5

    I. Titre. II. Collection : Romanichels.

PS8576.I556S29 2014   C843'.54   C2014-941126-X
PS9576.I556S29 2014

Les Éditions XYZ bénéficient du soutien financier des institutions suivantes pour leurs activités d'édition :
– Conseil des arts du Canada ;
– Gouvernement du Canada par l'entremise du Fonds du livre du Canada (FLC) ;
– Société de développement des entreprises culturelles du Québec (SODEC) ;
– Gouvernement du Québec par l'entremise du programme de crédit d'impôt pour l'édition de livres.

Édition : Josée Bonneville
Conception typographique et montage : Édiscript enr.
Montage de la couverture : René St-Amand
Illustration de la couverture : a-wrangler, iStockphoto.com
Photographie de l'auteur : Christine Bourgier

ISBN version imprimée : 978-2-89261-849-5
ISBN version numérique (PDF) : 978-2-89261-850-1
ISBN version numérique (ePub) : 978-2-89261-851-8

Dépôt légal : 3ᵉ trimestre 2014
Bibliothèque et Archives nationales du Québec
Bibliothèque et Archives Canada

Diffusion/distribution au Canada :
Distribution HMH
1815, avenue De Lorimier
Montréal (Québec) H2K 3W6
www.distributionhmh.com

Diffusion/distribution en Europe :
Librairie du Québec/DNM
30, rue Gay-Lussac
75005 Paris, FRANCE
www.librairieduquebec.fr

Imprimé au Canada

www.editionsxyz.com

Pour Agnès, ma petite grande sœur de cœur.
Et pour Josée, sans qui ce roman n'aurait pas vu le jour.

Le problème c'est pas de savoir où on est. Le problème, c'est qu'on croit qu'on y est arrivé sans rien emporter avec soi. Cette idée que t'as de repartir à zéro. Que tout le monde a. On repart pas à zéro. C'est ça le problème.

CORMAC McCARTHY,
No Country for Old Men

… et dire que tout ce que tu voulais c'était de t'emmener ta meilleure amie faire un tour au jardin, là, au clair de lune, et lui donner un bon gros baiser… dommage que les framboises aient été couvertes de fourrure et que tu n'aies pas vu qu'elles avaient les dents qui brillaient sous la lune. Parce qu'alors tout aurait pu être fort différent.

RICHARD BRAUTIGAN,
Tokyo Montana Express

Il dit ça, Zeb, il dit on va partir. On est assis dans son auto et il dit le nom de cette ville. Yokosuka, il dit. Il me demande de répéter et je répète. J'articule, crache chaque syllabe, la bouche collée au pare-brise, trace ensuite sur le verre embué les huit lettres. Je m'applique pour la majuscule, la dessine plus grosse, tente à l'intérieur d'apercevoir l'horizon. Comme je ne vois rien, ou seulement des bouées qui tanguent dans le vide, Zeb indique une direction du doigt. Plus à l'est, il dit, loin devant. Il me parle de tout et de n'importe quoi. Il me raconte le masque blanc des geishas, il me jure qu'elles sont muettes, que leurs lèvres sont cousues d'un coquelicot rouge sang, qu'il faut les regarder longtemps avant qu'elles n'ouvrent leurs kimonos de soie. Il me décrit la nature, les cerisiers en fleurs, les canards pendus par le bec et la cervelle des singes mangée à la petite cuillère. Il me dit ces choses et je le crois. Il me dit Sayonara et je souris. Juste des mots, je le sais, des clichés indélébiles et fixés dans mon esprit, des sons étranges et rugueux expulsés de sa gorge.

Des mensonges aussi.

Il me parle de ça dans son auto, il me raconte qu'on va partir et, plus tard, il me dit qu'il faut attendre les beaux jours ou le printemps. Il me dit ça et après il joue au poker. Il est assis avec les autres, il boit et il triche, me jette quelquefois un coup d'œil et me montre son argent, des billets gagnés grâce à ses tours de passe-passe, de l'argent volé. Je lui souris et me retourne. Installé au comptoir, je regarde la neige tomber. Tout est blanc dehors, vide et balayé par le vent. Je me bouche les oreilles, mais je les entends toujours. Ils rigolent et font du bruit, s'insultent parfois, et Lou sert à boire.

D'autres fois il démarre sans prévenir, fait une rapide marche arrière suivie d'un tête-à-queue. L'auto patine, s'accroche enfin, et Zeb appuie sur l'accélérateur. Dans le rétroviseur, je guette la disparition du village, toutes ces maisons de guingois, l'église et le cimetière, et je ris. Zeb accélère, gueule ensuite à cause de la piste, des trous et des plaques de glace, s'amuse dans les virages, dérape, laisse les pneus crisser, freine et dérape encore quand on arrive à l'embranchement de la 138. La route, la vraie. On se regarde et je glisse la cassette dans l'autoradio. Le moteur gronde, Zeb retient l'auto et je baisse les vitres. Quand il lâche les gaz, un froid glacial s'engouffre dans l'habitacle. Papiers gras et mégots voltigent autour de nous, l'air me soûle et me transforme en chien fou. Je hurle, demande à Zeb de rouler plus vite, monte le son de l'autoradio, chante à tue-tête. Une folie sur soixante kilomètres, nous deux seuls dans nos têtes. Les paupières mi-closes, je suis déjà dans l'avion, appréhende le décollage et la puissance des réacteurs qui me cloue sur mon siège. J'ai peur aussi, me souviens de l'accident, de l'enfant au milieu de la route se jetant sous les roues du camion de mon père, et je repense à mon père, à son retour plus tard, à ses réveils difficiles, à son regard cerné, usé de nuits blanches, à ses mains inutiles qu'il laisse mortes sur la toile cirée de la table de la cuisine, paumes retournées, comme s'il les voyait recouvertes de sang. Je crains aussi que Zeb ne pousse plus loin, dépasse le motel du croisement, le centre commercial et la station-service, que ce départ soit soudain le bon, sans préavis, que se logent dans mon ventre les mots qu'il m'a racontés, qu'il me faille rapidement faire face à une nouvelle réalité. La peur, oui. Et je chantonne, ânonne les paroles de la cassette, je sais quelle chanson ralentira Zeb au dernier moment. Et il ralentit toujours, lève le pied à l'instant où il aperçoit les enseignes du centre commercial, guette l'auto des flics planquée, le gyrophare qui pourrait nous surprendre. Un faux départ, je le devine, une illusion. Mon ventre se relâche, je passe un bras au-dehors et montre à mon frère une place de stationnement près du kiosque à journaux. À peine descendu, je me jette sur les magazines, feuillette ceux de voyage, essaie de découvrir quelques nouvelles photographies de notre future destination, reluque ensuite, si Zeb se plonge dedans, les revues pornographiques derrière son épaule.

Lou, on dirait Lou, tu trouves pas?

Lou est brune, je réponds.

D'autres fois encore, on monte au lac Bleu. Je marche dans ses traces, siffle son chien et soulève, en même temps que je transpire, toute la neige du Fuji Yama. À cause de sa jambe, je suis quelquefois obligé de retirer mes gants pour l'aider. Je rattache la sangle de l'une de ses raquettes, lace sa chaussure gauche ou lui frotte les orteils engourdis avec une poignée de neige. J'ai l'impression d'être utile. Je m'occupe du feu et réchauffe une boîte de bines pendant qu'il se masse le genou. Après, il me raconte Nagasaki ou Hiroshima, le souffle de l'explosion, la pluie de cendres et tous ces corps brûlés et momifiés dans l'effroi.

Il me dit tout ça, Zeb. Il me dit tout ça et j'entends les camions chargés de bois descendre du nord.

Il me dit on va partir et je le crois.

Il me dit tout ça et il fout le camp, il disparaît une nuit et me laisse son chien.

DU SILENCE DANS LA TÊTE

1

C'est rien, juste une impression de vide autour de moi, de silence. La maison en est pleine, comme étouffée, et ça me résonne dans la tête. Il va revenir, c'est ce que je me dis, il n'a pas pu me faire ça. D'habitude, il franchit le seuil de la baraque et je les entends. Ma mère en premier, ses reproches, le ton qui monte, puis mon frère ensuite, des mots plus doux qu'il lui murmure à l'oreille. Il la rassure, lui promet n'importe quoi ou glisse entre ses doigts quelques billets pour la calmer, de quoi tenir plusieurs jours encore, la semaine, un mois, sa façon bien à lui de s'excuser. Quand ils se taisent, je somnole et pense à notre voyage, à tout ce que Zeb m'a raconté, et je photographie des visages, des lèvres entrouvertes sur des sons muets, n'importe quoi à contre-jour, puis j'oublie mes rêves nippons et me réfugie dans les bras de Lou, l'imagine à la place de l'oreiller, moi entre ses cuisses, me réveille plus tard, drap collé au ventre, attends d'entendre les pas de Zeb dans l'escalier pour sortir de la chambre, descendre les marches et le croiser à mi-chemin. Un geste, sa main sur ma tête. Il m'ébouriffe les cheveux, me lâche un bientôt qui m'enivre. Demain ou après-demain, bientôt en tout cas, et je passe la journée à espérer.

Mais il n'est pas rentré et je me retourne dans le lit, compte les secondes, écoute le bruit du temps qui passe sur la grande horloge. Quand le silence est trop pesant, je me lève, tire le rideau et regarde dans la cour. Sa voiture n'y est pas et le chien, son chien, tire au bout de sa chaîne. Je me précipite, dévale les marches. Ma mère est penchée au-dessus de l'évier, ses cheveux devant ses yeux.

— Zeb ? je demande.

Elle ne répond pas et glisse ses mains dans l'eau grasse de la vaisselle. Elle pleure, cache ses larmes. Quand je le comprends, j'enfile un blouson et des bottes et je sors. L'air est chaud, les plaques de neige dans la cour ont fondu et, de la terre dégelée, montent des odeurs de pourriture. Le printemps, le soleil et déjà des mouches noires autour de moi. Je libère le chien et pousse la porte du garage. Mon père y est, affalé au milieu de bidons d'huile et d'essence, un filet de bave sur le menton et une bouteille à portée de main, renversée. Il a dû vivre une de ses nuits d'enfer, l'enfant et la route, le camion, son accident toujours en boucle dans sa mémoire. J'appelle mon frère, murmure son prénom, me penche pour voir s'il n'est pas couché sous le châssis d'une bagnole.

— Zeb ? je répète.

Dans mon dos, mon père toussote et crache sur le ciment. Je me retourne, lui demande s'il a vu mon frère. Il m'ignore, tente en se redressant d'attraper sa bouteille sur le sol. Je m'approche et la repousse du pied.

— Il est où ?

Il bafouille, postillonne des sons inintelligibles, m'envoie balader d'un geste de la main. Je l'enjambe et reste au-dessus de lui à l'observer. Il se débat, grimace et tend un bras vers sa bouée. Un noyé, ou presque. Je pose un genou sur sa poitrine et attends qu'il suffoque. Sa bouche s'ouvre et se ferme. Je pèse de tout mon poids.

— Je veux savoir, je lui dis à l'oreille.

Je relâche la pression, m'écarte, *shoote* sa bouteille contre un mur. Il ne sait rien ou ne peut rien me dire. Quand il retombe sur le côté, sa joue contre le ciment, je fais un pas en arrière. Il râle et se tord, s'attrape le ventre. Il va vomir, se vider. Comme il ne dira plus un mot, je quitte le garage.

Ma mère est toujours derrière la vitre de la cuisine. D'où je suis, je la trouve plus vieille, fatiguée. Je ne sais pas si c'est à cause de la lumière ou du départ de Zeb. Elle a toujours dit que ça arriverait, qu'un jour, forcément, il foutrait le camp. Elle a souvent accusé les autres – les amis de Zeb –, ces types qui l'entraînent, les virées nocturnes et le jeu, le braconnage, les chevreuils pris au collet ou les truites et les saumons remontés dans des filets, empilés plus tard dans des congélateurs. Elle râle d'autant plus quand mon père les suit et revient complètement soûl à la maison. Des ratés, elle dit, des inutiles, et je les évite aussi, sauf en hiver, quand il n'y a rien à foutre dehors et que ma pellicule risque de geler, coincée dans mon appareil.

Je siffle le chien et quitte la cour. Zeb est peut-être chez Lou, dans son lit. J'hésite, espère sans trop y croire. Plus certain de vouloir le déranger, je bifurque vers la plage et marche sans réfléchir. Un vent s'est levé, un vent de mer qui pousse devant lui des odeurs d'algues agglutinées et de poissons morts. Il est frais et puant, froid sur mon visage. Je relève mon col, vois dans le ciel des goélands et des mouettes, de grands oiseaux blancs qui tournoient, se pourchassent et plongent au loin. Le fleuve, ou la mer pour les gens d'ici. Assis sur le sable, je me demande si Zeb a passé la nuit dans les bras de Lou. Je ne veux pas les réveiller et je lance des cailloux dans l'eau, jette à son chien des bouts de bois, des bouteilles en plastique, cours et l'oblige à courir derrière moi en l'entraînant avec des poignées de varech desséché. Au bout d'un moment, fatigué de l'amuser, je me décide et marche jusque dans la rue de Lou. Savoir, tout simplement. Et je patiente sur une pelouse jaunie avant de frapper à sa porte. J'espère un bruit de pas, entends bientôt une clef tourner dans la serrure. C'est Lilia qui ouvre, la fille qui partage avec Lou son appartement et son travail. Elle est nue sous son peignoir, les yeux fatigués, cernés de mascara.

— Zeb est là ? je demande.

Un murmure, pas plus, un non lâché tout bas, une réponse ensommeillée.

— Et Lou ? je dis.

— Malade, elle répond. Couchée.

Quand la porte se referme, je ne sais que faire et mes bras retombent le long de mon corps. Je me sens désorienté, obligé d'affronter les autres, de les questionner.

Je le fais le soir même.

Ils rient et se moquent, disent que Zeb est assez grand, qu'il peut très bien se passer de gardienne. Je le déteste aussitôt, lui et sa bagnole, ses doigts dans mes cheveux, ses paupières tirées sur ses tempes et cette façon qu'il a de me saluer d'une courbette, de prononcer le nom de cette ville et de m'obliger à écarquiller les yeux afin de fixer un point à l'horizon, à l'est, toujours plus à l'est. Et je tombe, glisse dans le vide, certain qu'il m'y a projeté, qu'il m'a poussé dans le dos, trahi. Je continue pourtant à le chercher, à poser des questions. J'attends aussi le retour de Lou, l'heure de son service, entends les mêmes explications de Lilia. Malade, simplement malade, alitée.

Elle revient au bout de trois jours, le visage transformé. Ses yeux surtout, maquillés, trop. Du rimmel, du fard à paupières, une couche épaisse et noire qu'elle a étalée. Quand je lui demande si elle sait où est mon frère, ses lèvres restent soudées. Elle m'ignore. J'insiste, veux savoir, l'observe ancré au comptoir, la trouve différente, absente. Elle ne rit plus ni ne tourne autour des joueurs quand ils sortent leurs cartes, ne pose pas la main sur leurs épaules, selon son habitude. Elle me fait penser à un animal blessé, à un chien malade et battu qui refuserait de sortir de sa niche. Craintive, elle guette, reste de longs moments immobile, le regard vide. Une automate, serveuse muette et fragile qui ramasse les verres vides, se déplace lentement, ronge ses ongles derrière le comptoir. Un fantôme, un spectre sorti de son placard, une étrangère. Durant sa pause, elle sort, allume vite des cigarettes qu'elle balance aussitôt d'une pichenette. Même le froid ne semble pas la déranger. Je finis par la coincer, par lui demander ce qui ne va pas.

— Va-t'en, Ray. Je veux être seule.

— Tu dis ça parce qu'il est parti?

— Décrisse!

Un frisson sur son corps et ses poings fermés, une rage intérieure qu'elle a du mal à contrôler. À elle aussi il a promis et raconté, a dit des *bientôt* ou des *au printemps*. Des mots, de simples mots qu'il a servis avec le même sourire. C'est ça, rien d'autre, et je le dis à Lou, je lui dis ce que je pense de mon frère.

— Va-t'en, Ray, je veux plus te voir.

2

Une envie d'ouvrir sa fenêtre et de tout balancer. Je me retiens, fouille, retourne ses vêtements et ses tiroirs, me demande comment il compte repartir à zéro les mains vides. Il n'a rien emporté, pas même son sac. Un sac acheté pour le voyage, simple bagage de toile, sa maison d'escargot. Le reste, il disait, on le trouvera sur place. Des mensonges, comme autant de cartes cachées dans ses manches. Je lui en veux, décide qu'il ne reviendra pas, arrache ses posters des murs blancs, les déchire, décroche les cadres et le crucifix, me sens mieux après avoir rempli deux sacs verts. La chambre vide, nette, je m'allonge sur le lit et contemple le plafond. Depuis que Lou m'a rejeté, je ne veux plus quitter la maison. J'attends et guette encore le bruit de l'auto de Zeb, l'espère en panne quelque part, l'imagine marchant sur le bas-côté, sa jambe raide et douloureuse gouvernant son corps efflanqué. Mon frère et son rire, juste une image floue, déformée. Lentement je bascule, me sens aspiré. Je m'accroche comme je peux, préfère l'obscurité et repeins les murs de sa chambre en noir, les vitres aussi. J'y trimballe mon agrandisseur et mes bacs, m'installe, fixe une ampoule rouge et nue à une applique, reste des heures les doigts plongés dans mes produits. Je développe mes films, ceux d'avant, les accroche à une corde à linge et les regarde pendre et s'entortiller sur eux-mêmes. Le passé, son visage en négatif et Lou à ses côtés, assise sur le capot de son auto, une écharpe au-dessus du nez et sa capuche relevée, juste ses yeux noirs.

Je me retrouve bientôt entouré de visages et de sourires, de parcelles de chair, de gros plans, de clichés intimes et indéfinis punaisés sur les murs jusqu'au plafond. L'appareil vide, je m'oblige à sortir, à marcher, à oublier dans mon souffle sa trahison. Les poumons en feu, je monte jusqu'au cimetière, tourne le dos au village, scrute la piste, pauvre cordon ombilical qui nous relie à la grand-route, cherche encore une tache bleue sur le bas-côté, son auto abandonnée, circule entre les tombes, bouffe de la pellicule, cadre et déclenche au hasard, ne m'occupe ni de la mise au point ni de la profondeur de champ, respire à nouveau. Je m'enferme ensuite, développe mes films, me trouve une bonne raison pour éviter mon père et ma mère, le regard qu'elle lui jette quand il tète trop tôt le goulot d'une bouteille.

Un matin, je tombe sur mon père. Il est assis le dos droit, les bras sur la table, écartés et encadrant une boîte à chaussures. Je me fige, je sais ce qu'elle contient.

— C'est peut-être la solution, il dit.

Immobile, j'évite de respirer, d'amorcer le moindre geste.

— Des fois, il faut aller au bout des choses, il ajoute.

Je recule, ouvre la porte du frigidaire et en sors une bouteille de bière que je décapsule. Je la pose sur la table et il la regarde. Il s'étonne presque de la mousse qui monte dans le col et déborde sur la toile cirée. C'est quasiment beau dans le soleil, un petit geyser blanc, pétillant et irisé. Je me retourne. Dehors, des oiseaux jouent dans les branches du bouleau, volettent et se perchent, picorent l'écorce, les insectes. Je remarque les bourgeons, des pousses un peu plus vertes. J'ai envie de sortir, de le laisser prendre sa décision.

— Je crois que je vais le faire, il dit.

Puis sa main saisit la bouteille. Il la porte à ses lèvres et la finit en trois longues gorgées. La crise est passée. Il se lève, se traîne jusqu'au frigidaire et en sort une autre bière qu'il décapsule d'un mouvement sec. Quand je réalise qu'il ne fera plus que des allers-retours du frigo à la table, je quitte la cuisine. Je ne vais pas loin, je reste aux aguets. À tout moment il peut changer d'avis, ouvrir la boîte, déballer le revolver du chiffon huilé et en poser le canon sur sa tempe. Il a déjà menacé de se suicider. Un jour, il s'est même agenouillé sous la pluie. Il pataugeait dans la boue, pleurait et demandait pardon. C'était une journée d'automne surlignée d'un ciel bas et noir, il pleuvait à plein temps. L'eau martelait le toit en tôle ondulée du garage, et ce roulement métallique et régulier couvrait ses lamentations. Je me sentais impuissant, bien incapable de lui arracher l'arme des mains. Et si nous tentions, avec ma mère, d'amorcer un pas dans sa direction, la bouche noire du revolver se retournait aussitôt contre nous. Une danse insolite, rythmée par le bruit de la pluie sur la ferraille. Zeb est apparu à cet instant sur le seuil du garage, les manches relevées et les doigts tachés de cambouis. Il a bondi et ils ont roulé sur le sol. Ça n'a duré que quelques secondes. Puis Zeb s'est relevé, l'arme au bout de son poing. Il était trempé, son visage et ses cheveux maculés de boue. Il a glissé le revolver dans le creux de ses reins et s'est baissé sur mon père pour le soulever. Il l'a pris dans ses bras, un peu comme il l'aurait fait avec un enfant endormi ou une jeune mariée, et il l'a porté jusqu'à la maison. Quand notre père a été mieux, il lui a rendu l'arme en lui faisant jurer de ne plus jamais la braquer contre l'un d'entre nous. Plus tard, il m'a montré les cartouches, six petites ogives cuivrées qu'il avait retirées du barillet. Mon père les a réclamées dans la soirée, affirmant qu'il avait le droit de mettre fin à ses jours, d'abréger ses souffrances. Zeb lui en a rendu une. T'auras le droit de te la jouer à la roulette russe, il lui a dit. Et mon père l'a saisie entre son pouce et son index avant de la lever devant ses yeux.

Depuis, je me demande s'il osera un jour appuyer sur la détente pour se faire sauter la cervelle. Je me le demande et il m'arrive de le rêver, simplement pour ne plus le voir fixer d'un œil larmoyant le frigo, le convoiter comme s'il renfermait un bien précieux, sa façon à lui de se soigner, d'en finir, d'oublier l'enfant mort, en alignant sur la table des rangées de bouteilles vides.

En quittant la cour, je guette la détonation qui pourrait encore retentir. Je marche sur des œufs, le chien sur mes talons, me bouche les oreilles de l'intérieur. Puis j'accélère, fuis la baraque, marche plus vite dans la côte du cimetière. J'ai chaud, des mouches noires m'assaillent et me piquent la nuque. J'en écrase quelques-unes, accrochées à ma peau, regarde mes doigts tachés de sang. À mi-pente, le paysage se transforme. À cause de la chaleur, une brume épaisse nappe la lande. Elle cache l'horizon, grignote peu à peu le village, les maisons. Il n'y a que le clocher qui reste visible, tendu comme un majeur dressé. Je trébuche, me prends les pieds dans des trous d'eau et m'enfonce. Toute la neige fondue ruisselle, creuse des rigoles et des ruisseaux, des bras plus larges qui dévalent la colline et mettent le sol à nu. Je peine, regrette de ne pas avoir suivi le chemin habituel, essuie la sueur sur mon visage. Mais je me sens bien, oublie mes mollets et mes muscles tendus, arrive trempé au sommet, le pantalon mouillé et le tee-shirt collé au corps. Tout est blanc, noyé maintenant. D'où je suis, je ne distingue plus ni la route ni la piste, il n'y a qu'un mur qui se dresse devant moi, un obstacle vide. Il fait frais, une brise de mer éloigne les mouches et les moustiques et me rafraîchit. Je m'assois sur le muret, laisse pendre mes jambes et allume une cigarette. Le chien me rejoint, passe sa tête sous mon bras et me donne de petits coups de museau. Je l'ignore, mais comme il insiste, je le suis. Il trotte, queue entre les pattes, m'entraîne à l'écart des tombes, me conduit rapidement au bord d'un rectangle de terre retournée. Une bêche est fichée dans le sol, à mi-fer. Je m'approche et la saisis, essaie de la planter, n'arrive qu'à détacher une motte dure comme de la pierre. Je m'acharne, transpire sous l'effort, essaie encore avant de renoncer. Je me demande ensuite qui a bien pu creuser ainsi, tenté d'attaquer avec obstination ou désespoir une terre gelée en profondeur. Je hausse les épaules et retourne m'installer sur le muret. Au bout d'un moment, j'entends le chien qui gueule loin derrière la brume. Comme je n'ai aucune envie de courir après lui, je patiente et attends son retour. Il revient vite, un lapin mort entre les crocs. J'essaie de le calmer. Je lui retire la bestiole des dents et marche jusqu'au carré de terre retournée. Là, je dépose l'animal sur le sol et le photographie. Une photo, deux. Je cadre à nouveau, m'applique. Puis je ramasse le petit cadavre et lui déboîte les pattes avant. Je l'étends ensuite de tout son long, les membres antérieurs bien écartés du corps. Il ressemble à un christ sur une croix.

Le soir, je développe mon film et fais un agrandissement du meilleur cliché. Je fouille aussi dans le garage et trouve la boîte à chaussures. Toutes les cartouches sont dans le barillet.

3

Au matin je retourne au cimetière, place ma photographie sous une pierre à côté de la bêche, un agrandissement en noir et blanc de mon lapin écartelé. J'ai écrit trois mots sur mon cliché, au feutre noir : *Qui est mort?* Mes lettres devraient tenir plusieurs jours, le temps d'attendre une réponse. Puis je change de direction, descends vers la piste, là où Zeb, dans le faisceau de ses phares, culbutait des lapins en pleine nuit. Trois ou quatre, plus s'il avait perdu aux cartes, des bêtes assommées, frappées sur le côté, jamais écrasées. Je trouve et photographie des carcasses pourries, abandonnées et becquetées par les corbeaux. Je le fais pour le fossoyeur, l'étrange gardien du cimetière. Je veux le nourrir, l'alimenter de nouveaux cadavres. Une marmotte, un porc-épic, une moufette, plus rares sont les oiseaux. Et des mouches, des bleues ou des vertes, de ces reflets dorés qui bourdonnent, s'envolent en essaim, replongent sur la charogne abandonnée, pondent et butinent les chairs tuméfiées. J'observe plus que je ne photographie, découvre des œufs, de petits bâtonnets jaunâtres empilés en pyramide, attends le lendemain ou le surlendemain pour voir les vers se tordre et gruger les chairs, pénétrer les orifices, élargir les narines et l'anus, forer plus profond les yeux et se délecter des boyaux si le ventre a éclaté. Des fourmis aussi, travailleuses. Un spectacle qui, je ne sais pourquoi, me fascine. Je pousse plus loin, continue jusqu'à la route, la préfère à la piste. À cause de la vitesse, les bestioles fauchées ne sont plus que bouillie, dépouilles infectes et grouillantes de vermine. Les corbeaux, méfiants, s'envolent à mon approche, se reposent, reviennent plus tard, claudicants, et chevauchent de nouveau la charogne, piquent et crochent du bec, déchirent les tissus et me surveillent, l'œil craintif. Si le chien les course, ils s'envolent, se perchent sur les fils électriques et croassent. Je me penche alors et vise les entrailles. Et les heures passent, je m'éloigne de plus en plus, marche vers le sud, toujours, sais que Zeb a pris cette direction, que jamais il ne serait monté au nord. Il arrive aussi qu'une voiture s'arrête, qu'un inconnu ou un villageois ouvre sa portière et me demande si tout va bien. J'accepte quelquefois d'être raccompagné, monte à l'avant, pense à mon frère, à nos vitres ouvertes en plein hiver, cherche des yeux la cassette, notre cassette, réponds par monosyllabes aux questions du conducteur, demande à être déposé à l'embranchement de la piste, continue le chemin à pied, mon ombre sur le sol, tente de marcher sur ma tête, essaie plus d'une fois, mais jamais ne la rattrape.

Quand, plusieurs jours après, je remonte au cimetière, mon lapin est toujours là. Sur le papier mouillé et gondolé, je lis une réponse : *MOI*.

Je tourne la tête, espère surprendre une présence entre les tombes, voir la silhouette du fou qui a creusé encore et plus profond. Je dépose d'autres agrandissements. Des corbeaux sur une charogne, le reste du chat, des vers blancs enfoncés dans une masse noire et sanguinolente.

Et mon ombre, photographiée le soir, allongée et nette sur la piste. Un jeu avec l'inconnu. Je me sens complice, moins seul.

4

Le temps passe et mes photographies sont là, empilées et détrempées par la rosée. Le trou n'est pas plus profond, la bêche toujours plantée au même endroit. J'excite le chien, lui ordonne de chercher, le suis entre les tombes jusqu'au chemin qui va du cimetière au village. Il perd l'odeur, aboie, revient sur ses pas et plonge à nouveau sa truffe dans la terre remuée.

MOI...

Moi, mais qui?

Un instant je pense à Zeb, puis je rejette aussitôt cette idée en essayant de l'imaginer creuser, s'acharner sur des mottes de terre plus dures que du ciment. Je pourrais me cacher et attendre, ne plus bouger, me laisser apprivoiser par cet étrange fossoyeur. Je siffle le chien, prends avec lui la direction de la piste et marche dos au village, vers la grand-route. Il court, sort de la piste, se dirige droit vers la rivière. Il fouille entre les roseaux, débusque un couple de canards qui s'envolent, paniqués, et revient ensuite, pelage luisant et pattes couvertes de boue. Il repart aussitôt vers le sous-bois, s'arrête, lève la truffe et disparaît entre les arbres, des épinettes maigres et serrées aux branches recouvertes de longs lichens. Je l'appelle, ne veux pas le perdre ni le suivre. Comme je ne l'entends plus, je continue à marcher, mon ombre derrière moi. Il réapparaît bientôt, loin devant, avant de s'enfoncer à nouveau dans le bois. Je pense à un chevreuil, à une bête blessée. Il aboie soudain et ressort des arbres le poil hérissé. Il montre les crocs, reste en arrêt. Je le rejoins et lui caresse la tête.

— Calme, je dis.

Et j'observe, m'attends à tout instant à voir débouler un animal.

— Cherche, vas-y, cherche.

Le chien fonce et revient presque immédiatement se coucher à mes pieds, queue entre les pattes. Il a peur, se met à trembler. J'hésite, préfère continuer tout droit que de me piquer aux épines et me laisser dévorer par les insectes. Mais je me retourne, croyant entendre quelque chose. La curiosité. Je quitte la piste, écarte les premières branches et me griffe une joue. Je ne vois rien, appelle le chien resté en arrière. J'ai soudain cette sale impression de ramper dans un conduit obscur, un tunnel humide et noir, de pénétrer ou de profaner une terre hostile. Je pense au fossoyeur, entends mon cœur, de sourds battements qui cognent aux oreilles et accompagnent l'incessant bourdonnement des moustiques. Comme je vais faire demi-tour, le chien aboie. Je me baisse, l'aperçois plus loin. Son corps est tendu, son poil toujours hérissé. Entre les troncs, je distingue aussi une tache de couleur vive et irréelle. J'avance, me cogne aux branches, accroche ma veste, tire dessus et déchire une poche. Le chien me surveille, reste en arrêt devant sa proie, gronde de plus belle. Quand je découvre le type assis sur le sol, je bondis et écarte le chien d'un coup de pied, le frappe à la gueule alors qu'il montre les crocs. Une plainte. L'homme ouvre les yeux. Steve. J'ai du mal à le reconnaître, me demande ce qu'il fout là, me souviens aussi qu'il a bien ri quand je cherchais Zeb et que je posais à tous les mêmes questions.

— Ton frère…

— Quoi, mon frère?

— Son auto, avant-hier.

Les mots sortent hachés de sa bouche, à peine un murmure entre ses lèvres gercées. Je le laisse parler.

— Aide-moi. Mes jambes, je… M'a renversé, j'te dis, dans la courbe. Il a essayé de me rouler dessus, par deux fois.

Du délire.

— Zeb est parti, je réponds, il y a plusieurs jours. Et jamais il aurait fait ça.

— C'était son auto, Ray. Aide-moi, maintenant.

Je m'attarde sur son visage. Sa peau est égratignée et boursouflée, piquée à vif à différents endroits. Les paupières surtout. Elles sont roses et gonflées, à moitié fermées. Sa jambe n'est pas en meilleur état. Sous le pantalon déchiré à hauteur de cuisse, la chair est jaunâtre et purulente, sûrement infectée, veinée de lignes noires entrecroisées.

— Son auto, il répète. Aide-moi, Ray, me laisse pas ici.

— Il est parti, ça peut pas être lui.

Il grimace, me parle de cartes, d'une partie importante, un soir, il y a quelque temps. Il accuse Zeb, le traite de meurtrier, me demande de comprendre. Tricheur, je sais, menteur aussi. Mais pas plus, pas Zeb, ou pas comme ça, faucher un type sur la route et le laisser crever ensuite. Je répète qu'il est parti, qu'il a foutu le camp. Je lui dis les mots de ma mère, ceux qu'elle sait si bien prononcer quand elle est en colère. Et je m'éloigne quand il tente de se relever, de tendre un bras dans ma direction.

— Pas mon frère, je répète.

Je refuse de prendre sa main dans la mienne et je recule lentement, tiens le chien par la peau du cou pour qu'il ne s'en approche pas, chasse en même temps les bestioles qui volètent autour de moi. Quand il me demande à boire, me supplie de prévenir quelqu'un, je ne l'écoute déjà plus. Je les entends encore rigoler et se moquer, dire que Zeb n'a pas besoin de gardienne.

— Il a pas besoin de gardienne, tu te rappelles, Steve ?

Sa bouche se tord, il bafouille des mots, me parle de la nuit, d'une bête, d'un ours qui rôde peut-être.

— Zeb, il répète, c'est Zeb.

Et il crie plusieurs fois le prénom de mon frère comme s'il pouvait me convaincre. Il m'assure que Zeb lui a foncé dessus, qu'il a dû le guetter, attendre qu'il sorte de la rivière et revienne sur la piste pour appuyer sur l'accélérateur.

— Il a voulu me tuer, achève-t-il dans un murmure. Crois-moi, Ray.

Je lève le regard et cherche la lumière sous l'arbre, entre les branches, l'angle qui pourrait être bon, la vitesse d'obturation. Puis je libère le chien, m'agenouille et vise le visage de Steve, prends plusieurs photos, règle à nouveau ma profondeur de champ et déclenche encore.

— Qu'est-ce que tu fous, Ray ? Qu'est-ce que tu fous, tabarnak ? !

Je le mitraille et ne m'occupe plus de sa voix. Il n'est plus qu'un objet, un sujet d'étude. Je marche à reculons, le photographie de plus loin. Quand j'en ai assez, je siffle le chien et fais le chemin inverse jusqu'à la piste. Steve hurle dans mon dos, il appelle et me supplie, m'ordonne de revenir. Je ne m'en occupe pas et je cligne des yeux en sortant du bois, trouve la lumière plus belle. Je souris, me sens presque heureux. J'ai de quoi alimenter le fossoyeur, peut-être même assez pour le retenir ou l'obliger à creuser un peu plus.

Le soir, je traîne au bar. Les autres sont là, avec leurs cartes étalées sur le tapis. Ils jouent et boivent, et mon père est assis à la place de Steve.

5

Le nylon siffle et la cuillère s'enfonce, glisse dans l'eau glacée, tourbillonne, racle les rochers et miroite dans la lumière pour devenir une jolie proie. Je me précipite et la happe. L'aiguillon acéré me déchire aussitôt la joue et me tire en surface. Je suffoque, me débats, cherche l'oxygène qui déjà me manque. Mon corps ne m'appartient plus, il refuse les ordres de mon cerveau et se laisse traîner jusqu'à la berge. Steve me ramène à lui, lentement. Il me sort de l'eau, m'empoigne de sa main gauche et décroche délicatement le fer enfoncé dans ma peau. Juste après, d'un geste plus ferme, il me saisit par les ouïes, entre pouce et index, et me rompt les vertèbres d'un coup sec.

Un cauchemar.

Je me réveille en sursaut et me demande où sont ses cannes et ses appâts, comment il a pu ramper et s'enfoncer si loin dans le bois avec une jambe esquintée. Ses paroles me reviennent en mémoire. Je me lève et ouvre la fenêtre. Il a parlé de poker, d'une partie importante. J'essaie de me rappeler, n'arrive pas à remonter le temps. Je devrais pourtant, à cause de l'argent. Sans Zeb, jamais ma mère n'aurait pu joindre les deux bouts, déposer, le soir, un repas sur la table. Je la revois encore le remercier d'un sourire gêné quand il lui tendait ses billets froissés. L'argent. Toutes les parties ont la même issue. Je me recouche et ne me réveille que bien après l'aube. La fenêtre est restée ouverte et j'entends des voix dans la cour. Un instant, je crois reconnaître celle de Zeb. Je rejette la couverture et m'approche de la fenêtre. Mon père est en compagnie de Phil, un autre des joueurs, et ils parlent tout bas. Ils sont à l'entrée du garage, discutent et boivent chacun une bière à petites gorgées. Comme je n'arrive pas à deviner ce qu'ils se disent, je me penche en avant et me fais immédiatement épingler d'un regard.

— T'as pas vu Steve? lâche mon père.

Presque un uppercut. Sa question me coupe les jambes et je me réfugie dans la chambre. L'homme qu'il recherche est là, en plusieurs morceaux dispersés sur ma corde à linge, agrandi sur papier glacé. Des parcelles de sa chair tuméfiée pendouillent à côté de sa jambe déchirée et marbrée de noir. J'ai travaillé tard, développé et tiré plusieurs photographies. Certaines sont floues, sans contraste. Je les décroche, choisis un gros plan de son visage, écris sur ses lèvres une question à poser à mon fossoyeur : *Le trou, c'est pour lui?* Je vérifie ensuite mes différents agrandissements, les empile les uns sur les autres et les cache sous le matelas avant de descendre à la cuisine. Ma mère est assise devant une tasse de café. Elle fume, reste immobile, ne prononce pas un mot quand je passe derrière elle pour ouvrir le réfrigérateur. Je me sers un verre de lait et m'assois à l'autre bout de la table. Le silence est pesant, uniquement rythmé par la mécanique de la grosse horloge qui résonne dans la pièce. Je fixe ma mère. Elle écrase sa cigarette et en allume une autre.

— Après Zeb, c'est Steve, elle dit dans un nuage de fumée.

— Quoi, Steve ? je demande.

— Lui aussi a disparu.

Je hausse les épaules et finis mon verre. Elle parle de Steve, mais je devine qu'elle ne pense qu'à mon frère, au fric qui manque depuis qu'il est parti. Je la rassure comme je peux, dis même que j'aiderai au garage. Elle me fait une triste grimace et se lève. D'un pas pesant, elle marche vers la porte, l'ouvre en grand et s'adosse contre l'encadrement. L'air frais entre dans la pièce et on entend la voix des hommes à l'extérieur. Je tends l'oreille, cherche à savoir ce que raconte Phil. Je quitte la table et me rapproche de ma mère.

— Le garage est mort et ton père est plus capable de rien, elle murmure en me posant une main sur le bras. Je suis fatiguée, Ray. Comprends-tu ?

Je ne réponds pas. Je sais depuis longtemps que le garage n'est plus qu'une coquille vide ouverte aux quatre vents, que les types qui s'y arrêtent ne le font que pour passer le temps ou demander à Zeb un service. Il a toujours travaillé gratuitement, jamais refusé d'ajuster un carburateur ou de changer l'huile d'un moteur. Il l'a fait pour aider notre père, pour l'empêcher de trop boire après l'accident. Mais il avait ses horaires, rarement ceux de la clientèle. Et ne sont restés que les habitués, ceux qui avaient les poches vides.

— J'aiderai. Je sais pas comment, mais j'aiderai. Je te le promets.

Je lui dis ça et je la fuis au même moment. Je m'écarte d'elle pour ne plus sentir sa main sur mon bras, tout ce chagrin qui transpire des pores de sa peau.

— Tu sais vraiment pas où il est ? elle me questionne en se retournant.

Je me tais et ne peux la regarder. Parler ne mènerait à rien, sinon à l'inquiéter. Savoir que le dernier à avoir vu Zeb a été culbuté comme un lapin ne l'avancerait pas. Je réfléchis, le temps de remplir une bouteille au robinet, et la rassure ensuite. Je lui dis qu'il reviendra, que c'est peut-être à cause d'une fille. Je n'y crois pas, mais c'est ce qu'elle veut entendre, des paroles qui réconfortent.

— Et Lou? elle fait en se tordant les doigts.

— Quoi, Lou?

— Tu sais très bien ce que je veux dire, Ray.

— Si c'est à cause de Lou, on devrait le revoir bientôt, non?

Un mensonge. Je suis comme mon frère, du même sang, et ma mère reprend espoir. Elle imagine la dispute, les mots qui blessent et la portière qui claque, Zeb qui conduit trop vite en direction de la grand-route. Le reste, elle s'en moque. Pour elle, il est déjà de retour, elle n'en doute plus. De la voir ainsi soulagée, j'ai presque envie de crier, de lui balancer que c'était avec moi qu'il devait foutre le camp. Je serre les dents et rebouche la bouteille en me demandant ce que Steve va pouvoir m'apprendre contre un peu d'eau fraîche. Quand je sors de la baraque, Phil et mon père se sont réfugiés dans le garage. Je laisse le chien attaché à sa chaîne et je m'éclipse au plus vite. Au lieu de descendre vers la piste, je prends par le village et passe devant l'appartement de Lou. Mon mensonge n'en est peut-être pas un, une conversation a pu s'envenimer entre mon frère et elle. Cette idée me trotte dans la tête et je change de direction. Je veux savoir, ne supporte plus d'imaginer Zeb ailleurs et sans moi. Je marche vite, me dirige vers le bar, arrive à l'entrée, les cheveux collés et plaqués au front. La porte est grande ouverte, bloquée par un seau rempli d'une eau savonneuse et grise. J'hésite, sais que Lou n'appréciera pas ma venue. J'avance d'un pas, remarque la moppe tirebouchonnée sur le plancher humide. Tout est sombre, vide, trop tôt pour les premiers clients. Les chaises, dans la salle, sont retournées sur les tables. Je m'approche du comptoir et grimpe sur un tabouret. J'ai chaud, de la sueur me dégouline le long des tempes. J'ai posé devant moi la bouteille d'eau, mais ne pense pas même à en boire. Les minutes passent et j'attends. La tête cachée dans les épaules, je trace du doigt sur le bois du comptoir les lettres de notre ville et me rappelle la lame de canif plantée au hasard sur la carte. Yokosuka. Je répète ce nom, le prononce plusieurs fois avant d'entendre Lilia dans mon dos.

— Ray? Qu'est-ce que tu fais ici?

Je me retourne. Elle sort à l'instant de la réserve. Elle est pâle, rajuste son tablier sur son corps et s'essuie la bouche d'un air dégoûté. Passée derrière le bar, elle se sert un verre d'alcool et le boit cul sec avant de se pencher sur moi.

— Tu veux quoi?

— Lou? Elle est pas là?

Elle tarde à répondre, se reverse un verre et fixe l'entrée de la réserve.

— Je sais pas où elle est, OK? Alors insiste pas, et dégage.

Je ne bouge pas, reste ancré au comptoir, les yeux baissés.

— Quand je suis allé chez vous, à l'appartement, tu m'as bien dit qu'elle était malade?

— Qu'est-ce que tu veux, Ray, un billet signé du médecin? Si je t'ai dit qu'elle était malade, c'est parce qu'elle était malade. Ça arrive chez les filles. Une fois par mois, Ray, tu devrais le savoir. On ovule, on saigne, et ça nous coule entre les cuisses. C'est un secret pour personne, on est faites comme ça. Et Lou, dans ces moments-là, elle a besoin de rester couchée, de bien se caler le ventre contre une bouillotte. Ça te va comme réponse? Maintenant, tu fous le camp, Ray. Tu ramasses ta bouteille et tu fous le camp.

— Zeb, je réponds. Je veux savoir.

— Savoir quoi?

— Où il est.

— Pas ici, en tout cas, fait une grosse voix.

Beef. Lilia se redresse soudain et fait un pas en arrière tout en le regardant approcher. Il sort de la réserve, porte à bout de bras trois caisses de vingt-quatre empilées les unes sur les autres. Ses manches sont relevées, roulées sur ses biceps, et les muscles de ses avant-bras contractés sous des entrelacs de veines bleues. Il grogne, donne l'impression d'avancer sur un ring, de vouloir en découdre.

— Ici, non, mais sur la piste, je lâche d'une traite et sans bafouiller. Il y a deux jours, j'ai vu son auto.

Du bluff, ce que Zeb sait si bien faire quand il ne peut tricher. Beef me jette un coup d'œil et fait encore deux pas pour poser ses caisses de bière à l'autre bout du comptoir. Quand il a les mains vides, il se retourne et m'observe, me dévisage comme s'il allait me bouffer. Je ne bouge pas, me sens aussi fragile qu'une feuille oubliée à l'automne. Et j'ai froid, ma sueur se fige tout à coup sur mes reins et devient carapace de glace. Je connais ce type et sa colère, ses poings d'acier, le nerf de bœuf planqué derrière son bar.

— Y a deux jours, tu dis?

Il fouille dans sa poche et en ressort un mouchoir. Il me regarde encore et essuie son crâne rasé.

— Ouais, je réponds.

— Des conneries, oui. Ça me ferait mal que ton frère traîne dans le coin. Allez, va-t'en.

Il sait quelque chose, j'en suis certain. Lilia aussi est mal à l'aise. Elle s'empresse d'ouvrir une caisse de bière et de ranger les bouteilles dans le frigidaire. Je veux enfoncer le clou, étaler mes cartes comme l'aurait fait mon frère. J'ai envie de parler de Steve, de l'auto lancée contre lui à toute allure, mais je serre les mâchoires. Zeb n'est pas parti, j'en ai la certitude. Il est là, quelque part, caché dans le village. Je descends de mon tabouret, ramasse ma bouteille d'eau et me retrouve dehors, l'estomac vrillé. J'ai du mal à me calmer, à reprendre mon souffle. Quand j'arrête de trembler, je traverse la rue et marche sans me retourner. J'avance comme un somnambule, ne comprends pas pourquoi Zeb ne me fait pas confiance, ne me donne aucun signe de vie. J'ai la sensation d'être devenu un jouet, une marionnette dont tous abuseraient et se moqueraient. Je descends la piste et laisse mes larmes rouler sur mes joues. Si je suis un pantin, je ne suis pas le seul à être amoché et désarticulé. Steve va devoir parler, aligner des phrases, m'avouer ce qu'il s'est vraiment passé, s'il veut étancher sa soif. Je me presse, hâte la cadence, pénètre dans le bois sans plus faire attention aux branches qui cinglent ma peau et me ralentissent. Je vais droit au but, ne quitte plus du regard ce point immobile et coloré toujours avachi au pied d'un arbre. Je m'approche. Steve a les yeux clos, une main refermée sur sa jambe blessée. L'odeur me saisit aussitôt à la gorge et m'oblige à reculer. Je vacille et m'assois pour ne pas tomber. Je déglutis, tente de me concentrer sur autre chose, bois autant d'eau qu'il est possible d'en avaler. Je me ressaisis ensuite et marche à quatre pattes, me traîne jusqu'à lui, mon tee-shirt relevé sur le nez. J'ai la nausée et retiens des reflux de bile. Je le palpe pourtant, glisse ma main sous son blouson, cherche sous mes doigts les mouvements répétés et incertains de son cœur. Il est mort. Quand je m'en rends compte, je vomis, asperge son cadavre sans le vouloir avant de m'écarter au plus vite. Je rampe, tente d'échapper au bonhomme et aux mouches qui s'agglutinent sur sa plaie. Je reste longtemps allongé sur le ventre, visage enfoui dans l'humus, respirant lentement à toutes petites goulées. Steve mort, mon frère peut revenir. Je me dis ça et je me retourne pour voir le ciel.

Lentement, je me perds dans l'infini bleuté et me mets à parler, à raconter ce que Zeb me racontait, le Japon et les pêcheurs sur leurs barques, les calmars géants remontés des abysses. Je dis à Steve les mots de mon frère, les perles de nacre et ces femmes nues qu'on croit voir flotter dans les verres de saké, quand ils sont pleins. Je dis ces choses à son cadavre et je m'éloigne, je le quitte sans bruit, j'évite sous mes pas de faire craquer les branches mortes. Je sais maintenant que Zeb n'a plus rien à craindre, que personne ne pourra plus l'accuser ni le montrer du doigt. Un accident, juste un accident, il me le dira et je le croirai, il me le dira et nous partirons enfin. Mais avant cela, Steve doit être emporté et enterré, jeté dans le trou qui lui est destiné. Et je cherche à la lisière du bois sa canne à pêche, fouille et refouille les fossés, inspecte tous les bas-côtés avant de la découvrir derrière un amas d'herbes sèches. Arrivé à la maison, je la montre à mon père et lui indique l'endroit exact où je l'ai ramassée.

— Dans la courbe de la rivière ?

Quand je hoche la tête, il décroche le téléphone et compose un numéro.

— Ouais, ce soir, il dit, au bout d'un moment. Ouais, juste dans la courbe.

Il ouvre ensuite une bière et me regarde. Je ne sais que rajouter, ne pense plus qu'au fossoyeur, à Zeb, mon frère, qui peut-être manie la pelle avec juste raison.

6

C'est lui, je n'en doute plus. Sa voiture sur la route, les accusations de Steve et le chien, son chien, les gémissements plaintifs qu'il pousse devant toute cette terre retournée, un peu comme s'il en reconnaissait l'odeur. Le trou n'est pas plus profond, juste un peu rempli d'eau. J'ai ajouté des mots sur la photo, écrit que Steve était mort, qu'il ne parlerait plus. Et je suis resté longtemps devant cette tombe ouverte, me demandant pourquoi Zeb avait fait ça, tuer quelqu'un. J'ai décidé de le guetter et j'ai apporté avec moi une couverture, cinq cigarettes volées dans le paquet de ma mère et un briquet. En l'attendant, je traîne entre les tombes, cherche une place, un endroit où m'étendre, plus tard, sans être vu. Comme il ne viendra pas maintenant, je m'assois sur le muret. D'où je suis, je les vois. Ils vont et viennent, découpent la nuit de leurs phares, la dépouillent de son silence. Je ne les entends pas, mais je devine leurs cris, la façon dont ils s'interpellent en braquant leurs torches électriques sur les berges et au-dessus des trous d'eau, les cuvettes plus profondes de la rivière. Ils sont là pour Steve, ils le recherchent, lui ou son corps, sa dépouille qu'ils pourraient exposer au petit jour comme un trophée de chasse, un animal abattu. Je les connais, ils en sont capables, je sais aussi qu'ils vont finir par l'oublier et se rabattre sur le bar. Je compte les autos, me demande qui descend et qui conduit, qui, à un moment donné, va proposer d'aller se réchauffer, au moins boire un verre avant de continuer. Quand le spectacle m'ennuie, je balade le chien au bout de sa laisse, le tiens serré pour éviter qu'il s'enfuie et leur indique la piste à suivre. Et je reste les yeux ouverts, tourne et retourne dans les allées, me fais penser à un gardien de musée. Je chuchote, parle aux morts pour passer le temps, leur demande pourquoi jamais ils ne sont partis, pourquoi ils ont tant tenu à vivre ici, de petits pas en petits pas, jusqu'à l'usure, jusqu'au dernier souffle résigné. Quelques-uns ont poussé plus loin que le centre commercial, la station-service ou le motel du croisement, par obligation, pour travailler. Certains sont même allés jusqu'à la ville, à Sept-Îles, à Québec ou à Montréal. Mais tous sont revenus, aucun n'a cru en la possibilité d'un ailleurs. Je change d'allée et installe sur le sol ma couverture, allume une cigarette. La flamme du briquet éclaire un nom, une date. De mes doigts, j'effleure ces lettres usées et laminées par le gel et les pluies. Il ne reste rien du passé, sinon des aspérités, des rêves oubliés. Ma cigarette écrasée, je me couche et oblige le chien à se blottir contre moi. Je cherche sa chaleur, une présence qui rassure. Pendant deux heures, je fixe le tas de terre et empêche mes paupières de se fermer, fume encore, aligne dans l'obscurité deux autres mégots, fait crisser d'impatience la molette du briquet sous mon pouce. Il viendra, je ne dois pas dormir. Il me parlera et me prendra dans ses bras, me répétera le nom de cette ville, me le murmurera souvent à l'oreille en me demandant pardon. Déjà, sa voix me berce. Je m'allonge, caresse le poitrail du chien, glisse mes doigts entre ses poils, lui promets le retour de son maître, me raccroche comme je peux à mes propres boniments. Et je sombre, m'endors sans plus pouvoir lutter, me réveille plus tard sous un disque de lune parfait. Le chien couine et tire sur sa laisse, bat de la queue. Zeb. Je me lève d'un bond, me dirige entre les tombes jusqu'au tas de terre retournée. La bêche a changé de place, la photographie de Steve a disparu et un autre trou a été creusé à côté du premier.

7

— Ils n'ont pas fait ça pour ton frère, dit ma mère.

Je viens de redescendre du cimetière et je tombe sur elle dans la cuisine. À voir sa tête, je sais qu'elle a veillé toute la nuit. Elle ne me demande pas d'où je viens ni ce que je fais avec une couverture roulée sous mon bras. Elle est ailleurs, loin, ne s'occupe que de ce café qu'elle réchauffe à petit feu. Elle a changé et maigri, je la trouve usée, son sourire éteint. Pour la ranimer, j'ai envie de lui faire partager mon secret, de dire que son fils va rentrer, que ce n'est qu'une simple question de temps, d'un autre trou à combler. Son fils et mon frère. Comme je vais ouvrir la bouche, ils arrivent à cet instant. Un pick-up, deux autos. Les portières claquent et aussitôt leurs voix nous parviennent. Elles semblent irréelles, trop fortes au petit matin, presque enjouées, même celle de mon père. Ils parlent pour ne rien dire, se regroupent dans la pièce et grappillent rapidement tout l'espace. Il n'y a bientôt plus que l'écho de leurs conversations qui résonne, des exploits qu'ils ont réalisés. Et ils tendent des mains avides, se précipitent sur le pain et les biscuits, remplissent en les faisant déborder des tasses de café. Plus rien n'existe pour eux que cette amitié virile et partagée, cet ami disparu.

— Ray, sa canne à pêche, t'es bien certain de l'avoir trouvée dans le coude de la rivière?

— Côté bois, je réponds.

Ils me regardent et attendent d'autres explications. Je n'en ai pas, ne désire pas non plus les conduire, descendre en leur compagnie jusqu'au coude de la rivière.

— Des chiens, vous devriez prendre des chiens.

Ils m'écoutent et emmènent plus tard le chien de Zeb. Ils le font monter dans la boîte du pick-up et démarrent ensuite. Presque un jeu pour eux, une nouvelle battue. Et ils accélèrent dans le vide, font patiner leurs pneus, envoient gicler loin le gravier, laissent des traces de pneus sur l'asphalte de la cour. Des gamins. En les entendant, ma mère soupire et se penche sur l'évier. Elle a déjà ramassé les tasses et fait couler de l'eau. Je reste muet, n'ose plus rien lui dire à propos de Zeb, me rends utile comme je peux. Je balaie, passe la moppe sur la boue du plancher, me dis que ça ne sert à rien, que le chien va retrouver Steve dans la demi-heure, que jamais le sol n'aura le temps de sécher avant leur retour. Je me trompe. Ils ne réapparaissent pas. Ni dans la matinée ni dans l'après-midi. Ce n'est que dans la soirée, quand ma mère me demande d'aller lui chercher un paquet de cigarettes, que je découvre l'attroupement devant le bar. Ils viennent juste de rentrer. Ils sont crottés et mouillés, et Beef raconte la découverte, montre, sur le plateau arrière du pick-up, la bâche étalée sur le cadavre. Je me faufile et m'approche au plus près. Comme je tends le bras pour soulever la bâche, Phil m'en empêche:

— Je te préviens, un noyé, c'est pas trop beau à voir.

Mon cœur bondit. Je pense aussitôt à mon frère tombé dans la rivière, à sa tête qui disparaît dans les remous, aux cris qu'il pousse en m'appelant. Je soulève la bâche d'un coup sec et recule aussitôt. Steve. Je fais deux pas en arrière et manque de trébucher. Il est trempé, son corps et ses vêtements semblent avoir longtemps baigné dans l'eau.

— Vous l'avez trouvé où ? je demande surpris.

— Presque à l'embouchure, il a dû être emporté par le courant. Il avait peut-être installé des nasses ou des lignes de fond, j'sais pas.

Je bafouille, dis que c'est impossible, murmure entre mes dents que c'est du côté bois que j'ai ramassé sa canne à pêche.

— Si on te dit qu'on l'a repêché entre deux rochers, faudrait nous croire, lâche Beef d'un ton menaçant.

Je me tais et cède la place à ceux qui se pressent autour du pick-up, veulent aussi approcher le cadavre. Beef interdit qu'on y touche, il faut attendre le type de la ville, le seul à autoriser ou non l'inhumation. On se croirait à la foire, devant un bonimenteur, à espérer emporter un morceau de la dépouille en guise de gros lot. Chacun y va de son avis, parle pour ne rien dire, raconte son expérience. Puis il y a ce soudain silence et la foule qui s'écarte à l'arrivée d'un couple de petits vieux. Les parents de Steve. Ils sont accrochés l'un à l'autre, mains jointes et doigts emmêlés, et ils avancent lentement vers le camion, l'homme soutenant la femme. Elle veut voir, insiste, et quelqu'un dévoile le cadavre. Elle crie soudain, déchire le silence d'une plainte venue de ses entrailles et se jette sur le corps de son fils. Elle le secoue et l'embrasse en même temps, lance des pourquoi et des Seigneur en regardant le ciel. Puis ses vieilles mains se promènent sur la dépouille, palpent le corps tandis que ses lèvres cherchent, malgré l'odeur infecte, un dernier baiser à emporter. J'ai mal au fond de moi, me demande ce que ma mère ferait si Zeb était couché là, sous cette bâche. Finalement, son mari la prend dans ses bras et l'oblige à faire demi-tour. Le spectacle terminé, on se retrouve tous au bar, à attendre l'inspecteur. Perché sur un tabouret, je regarde Lou qui sert à boire, les verres qu'elle remplit, de bière et de scotch. Les autres sont assis à leur table, ils y sont tous, chacun à sa place. Mon père est sur la chaise de Zeb. Il ne dit rien et renifle un petit verre d'alcool comme s'il hésitait à le porter à ses lèvres. Ça ne dure pas. Il suffit que Beef lève le sien pour que mon père l'imite. Je connais la suite, la valse lente des tournées, ces mêmes gestes répétés jusqu'à la fermeture, le retour ensuite et son délire plus tard, l'enfant sur la route. Je vais l'attendre, c'est ce que je me dis, je vais faire ce que mon frère aurait fait, le ramener à la maison. Et je regarde leurs visages, m'arrête longtemps sur chacun d'eux. Phil et mon père, Beef, Chad qui vient de les retrouver. J'essaie de lire leurs pensées, tente de savoir pourquoi ils ont sorti Steve du bois pour le baigner et faire croire à tous qu'il s'était noyé. J'en suis à me poser ces questions quand celui qu'on attend franchit la porte. Il est grand, maigre, et il porte un costume gris. Beef lève aussitôt une main dans sa direction et montre à l'homme une place autour de la table. Sa présence fait taire les conversations. Il n'y a plus ni verres entrechoqués ni musique, à peine des bruits de gorges raclées. Il est la loi, la seule sur la côte. Après de banales politesses vite échangées, les autres racontent. Ils disent la rivière, le corps prisonnier entre deux rochers comme du bois flotté, les goélands qui auraient pu le bouffer. L'homme note sur son calepin et on s'entend respirer. Ne compte plus que cette histoire de pêche, un malheureux accident. Puis mon père me montre du doigt et me fait signe d'approcher.

— Sa canne à pêche, dis-moi donc où tu l'as trouvée, murmure l'inspecteur.

Comme j'hésite, il laisse de nouveau tomber sa question entre ses lèvres épaisses, attend ma réponse, le stylo levé. Je réfléchis, tourne et retourne ma langue dans ma bouche, vois l'œil de Beef posé sur moi.

— Sur la berge, je dis, presque dans l'eau.

Je mens, libère ces mots pour la satisfaction de tous, me calque sur leurs témoignages, dis exactement ce qu'ils veulent entendre.

— Et t'as rien vu de spécial?

— Comme quoi?

— Je sais pas.

— Non, rien, je réponds, repensant à Steve, assis et mort dans le bois, une main refermée sur sa jambe puante.

— Bien, dit l'homme, bien. Je vais aller voir ça.

On lui ouvre la marche jusqu'au pick-up et Beef attend qu'un attroupement se soit formé pour découvrir le corps étendu. L'odeur est insoutenable. L'inspecteur grimace, enfile des gants de latex, sort une petite torche électrique en forme de crayon de sa poche. Il en jaillit un rayon bleuté à son extrémité, une pointe éblouissante qui balaie le cadavre allongé, efface les ombres et souligne les grains de sable ou des morceaux d'algues collés, fouille le nez et la bouche, les oreilles. Le faisceau lumineux s'arrête sur la jambe et stagne un long moment sur la peau tuméfiée. Sa lampe entre les dents, l'homme tripote les chairs, palpe l'os, le tibia, remonte ses doigts jusqu'à la hanche. Puis, d'un geste brusque, il rabat la bâche et se rend à son auto. Il reste longtemps à l'intérieur, remplit des papiers, plusieurs feuilles qu'il signe après les avoir relues. Quand il ressort de sa bagnole, il ne reste que de minces traînées bleutées dans le ciel et les lampadaires sont allumés.

— S'est pas noyé, il dit en retirant ses gants pour les jeter à l'arrière du pick-up.

— Il est mort comment, d'abord? demande Beef.

— Un accident, ce que vous m'avez dit. Enfin, c'est ma conclusion. Il a dû glisser, se briser la jambe et être emporté. Pas d'autopsie. Je vais donc délivrer le permis d'inhumer.

Beef remercie l'inspecteur et lui serre la main. C'est terminé, l'homme repart au volant de sa voiture, quitte le village et roule sur la piste. Après avoir vu ses feux arrière disparaître, je m'installe de nouveau au bar et je remarque les gestes saccadés de Lou, ses doigts qui tremblent de plus en plus, ses yeux baissés.

— Pour ma mère, il me faudrait des cigarettes, je dis.

— Je le marque? elle demande.

— Ouais. Mon père paiera plus tard.

— Laisse. C'est pour moi, me coupe Beef en posant sa grosse main sur mon épaule. Pour service rendu. On se comprend?

Je hoche la tête et ramasse mon paquet. Comme j'attends qu'il me lâche, il commande à Lou une autre tournée et se penche à mon oreille:

— Et t'avise surtout pas de changer d'idée, d'aller raconter autre chose que ce que t'as dit.

— Ouais, je réponds en essayant d'échapper à l'étau qui me broie l'épaule.

— Dis-moi que t'es d'accord, Ray, dis-le-moi.

Je le lui dis et il continue à me tordre un muscle. J'ai mal à en pleurer et ce salaud rigole. N'y tenant plus, je promets, je jure, et il me lâche enfin avant de m'offrir son plus beau sourire et de s'essuyer le crâne avec son mouchoir.

— Et toi, faudrait voir à me servir un peu plus vite, il dit à Lou complètement débordée.

— Ça vient, elle répond. Encore deux bières, c'est ça ?

— En plein ça, ma belle.

C'est le patron, le *big boss*, et il trône comme tel, s'amuse comme un fou. J'ai envie de le frapper, de crier à tous que Steve était au fond du bois, déjà bouffé par les vers quand ils l'ont trouvé. Mais les yeux de Lou m'en empêchent, ce regard anxieux qu'elle me lance, et je me tais.

— Ça vous fait encore un joueur de moins, fait soudain remarquer à Beef un type accroché au bar.

— Comment ça ?

— Ben, ce gars qui vient de se noyer, pis l'autre, le beau parleur, celui qui gagnait plus souvent qu'à son tour.

— Le beau parleur, comme tu dis, il a foutu le camp. Et un conseil, continue Beef en se retournant sur Lou, mieux vaut pas le chercher. Un type pas capable d'honorer ses dettes de jeu a rien à faire par ici, pas vrai ?

— Ouais, répond l'autre. Sauf qu'il est toujours dans le coin. J'ai vu son auto. Au lac.

Il y a aussitôt un bruit de verre brisé. Lou s'excuse, ramasse les morceaux et éponge le sol. Zeb au lac. Pour moi aussi l'effet a été immédiat. Dans ma main, j'ai presque écrasé le paquet de cigarettes.

8

Il pleut. Ça dure pendant deux jours, le ciel est épais, chargé de gros nuages noirs poussés par un vent du large. J'attends une accalmie, mais renonce devant ce déluge à l'idée de me rendre au lac. Il n'y a plus qu'à regarder l'eau tomber, à suivre du doigt les gouttes sur les vitres, de longues traînées qui dégoulinent et tracent d'étranges dessins. J'entends aussi les gouttières se remplir et déborder, toute cette eau s'accumuler en flaques au milieu de la cour. J'ai l'impression de vivre dans un aquarium, une sorte de boîte étanche et fermée où je m'oblige à respirer lentement. Quand le soleil réapparaît, je me dépêche d'enfiler mon blouson et je sors. Ma mère me retient sur le pas de la porte. Il faut aller à l'enterrement, elle dit, c'est le jour, on doit être présent pour Steve. Je change de vêtements, endosse un vieux costume et noue une cravate autour de mon cou. J'ai chaud sous la veste noire, ne me sens pas vraiment à l'aise, mais je suis ma mère qui, un mouchoir glissé dans sa manche, ouvre la marche. Mon père est loin derrière nous, il avance tête basse et semble parfois instable sur ses jambes. Je le surveille du coin de l'œil.

À l'église, il rejoint les autres et s'installe avec eux sur le même banc. Lou aussi est là, et Lilia. Je reconnais des têtes, salue, m'assois et me relève quand il le faut, répète les mots du curé, imite ma mère et me signe quand elle se signe. Après la messe, je traîne sur le chemin du cimetière et me fais distancer par le cortège. Une brume, à cause de la chaleur et de la pluie tombée, engloutit les gens et le paysage, fait disparaître les tombes derrière un brouillard blanc. J'en profite pour m'éclipser et je marche jusqu'aux deux trous creusés à l'écart du cimetière. Ils ont été rebouchés. Le fossoyeur a remporté sa bêche comme après un travail achevé. Steve et mon frère, deux victimes désignées, deux condamnés dont l'un a été retrouvé. Je rejoins ma mère et lui laisse agripper mon bras. D'autres paroles sont prononcées pour le mort, puis la première poignée de terre tombe sur le cercueil avec un drôle de bruit. Des fleurs sont jetées juste après. J'entends le murmure des condoléances, des regrets sincères dits à la sœur de Steve, à ses parents. Je serre leurs mains, prononce les mêmes mots que ma mère. Quand tout est terminé, seule reste la famille près de la fosse ouverte. Je m'éloigne, me perds dans la brume, rentre par un autre chemin et retrouve bientôt ma mère dans la cuisine.

— J'ai parlé à Lou, elle dit. Au cimetière.

— Et?

— Elle sait pas, elle m'a juste dit que Zeb a très bien pu partir comme ça, pour rien.

Je ne veux pas lui donner le moindre espoir. Puis je parle du type au bar, de ce qu'il a dit à propos de Zeb et de sa bagnole, du lac.

— Son auto? Quelqu'un a vu son auto? Mais, Ray, ça veut rien dire. Pis qu'est-ce que ton frère ferait au lac, depuis tout ce temps? Réfléchis, Ray. Il serait là depuis le premier jour? Non. Ton frère est mort, comme Steve.

Une mère sait ça, Ray. Je sais ça. Je l'ai tout de suite deviné. Ton frère est pas parti, il nous a pas quittés.

Je ne peux plus rien garder pour moi. Et je lui balance tout, je lui demande de s'asseoir et je lui avoue les deux trous au cimetière, je lui raconte Steve, je dis que je l'ai vu mort dans le bois, que les autres ont fait croire à une noyade. Je dis aussi que Zeb avait des dettes de jeu, que c'est peut-être à cause de ça qu'il a foutu le camp. Et j'ajoute que j'irai au lac, que j'irai vérifier pour son auto, voir si elle y est, qu'il le faut, pour moi, pour elle, pour au moins savoir. Je dis tout à ma façon et je glisse les mains dans mes poches avant de m'adosser à l'évier. Ma mère se met à sangloter. Elle pleure et renifle, cherche ensuite une cigarette dans son paquet. Elle s'y prend à deux fois pour l'allumer et reste assise sans plus prononcer une seule parole. J'ai creusé un vide autour de nous, sorti du néant des images qui font peur, des choses que ma mère ne veut pas voir. Il le fallait pourtant. Et je monte dans la chambre, fouille sous mon matelas et ramène un cliché. Steve. Son visage égratigné et sa jambe pourrie. Je redescends et montre la photographie à ma mère. Elle la regarde et la repousse en même temps. Elle essaie de parler, de former des mots, mais ils se brisent, éclatent comme des bulles de savon en sortant de sa bouche. Elle est soudain plus pâle, me fixe avec des yeux vides. Je ne lui dis pas que j'aurais pu empêcher la mort de Steve, je ne lui dis rien qui pourrait la faire douter de moi, et je la prends dans mes bras, la serre sur mon cœur et sens ses larmes glisser dans mon cou.

— Ton père, elle arrive à murmurer.

Un malaise m'envahit aussitôt. Sans vraiment le vouloir, j'ai poussé ma mère plus loin que l'enfer en lui désignant un coupable.

— Quoi, mon père? je demande.

— Il était avec eux, elle dit en se détachant de moi. Il était avec eux quand ils ont trouvé Steve. Il était avec eux toute cette journée-là.

— Il l'était, oui, comme il l'est toujours. Comme il va revenir soûl cette nuit, comme il va boire encore et encore, comme il l'a toujours fait depuis l'accident.

Elle secoue la tête et se traîne jusqu'au bas de l'escalier. J'ouvre le robinet, me passe le visage à l'eau et je l'entends dans mon dos. J'entends ses pas sur les marches, l'effort qu'elle fait pour hisser à l'étage toute sa peine. Elle a laissé sa cigarette se consumer. Je la saisis et tire dessus, en ranime le bout incandescent. Quand il est bien rouge, je l'approche des yeux de Steve. Un œil, puis le deuxième. Une fumée âcre et noire s'en dégage. Je continue, je m'applique, je prends tout mon temps et je découpe son visage en pointillés, le brûle ensuite à la flamme du briquet.

9

C'est la première fois qu'il me surprend ainsi. Contrairement à son habitude, il n'a fait aucun bruit. Je me retourne et m'étonne de sa présence. Il est là, silencieux et agrippé au montant de la porte, les vêtements tachés. Je ne sais pas s'il a rampé pour arriver jusqu'ici, mais il a dû y mettre toute son énergie, comme si le garage était encore le seul endroit où il pouvait se terrer. Il me regarde et me dévisage d'un air effarouché. J'ai du mal à comprendre pourquoi il est ainsi affolé, puis je réalise soudain. Je viens de charger la carabine et je la tiens pointée dans sa direction. C'est elle qu'il voit, l'œil noir du canon braqué sur son ventre. J'abaisse aussitôt l'arme et la repose sur l'établi.

— C'est pas ma faute, il dit.

— Personne t'a jamais accusé. C'est lui qui s'est jeté sous les roues de ton camion.

L'enfant. Il n'a pas assez bu pour le faire complètement disparaître.

— Je parle pas de ça.

— De quoi, alors ?

— Ton frère... C'est pas ma faute, Ray. Des fois, j'aimerais en finir avec ça, avec tout ça.

— Quoi, mon frère ?

Il perd l'équilibre et je le rattrape. Je le soutiens de toutes mes forces et le traîne jusqu'à son lit de camp. Il s'y écroule et s'endort aussitôt. Je le secoue, lui soulève les paupières, essaie de le réveiller et lui demande en même temps ce qu'il a voulu dire au sujet de Zeb.

— Quoi, mon frère? je répète.

Il est trop tard. Il ne dira plus rien et aura sûrement tout oublié dans quelques heures. Un filet de bave lui dégouline sur le menton et il tousse dans son sommeil. Je l'observe, écarte une nouvelle fois sa paupière et me redresse. Un fantôme, il n'est plus qu'un fantôme, l'ombre de lui-même, un mort en sursis. Je ne peux rien faire pour l'aider. Je me redresse et je vérifie mon sac. J'ai tout préparé avant qu'il n'arrive. Un duvet, deux boîtes de thon et du pain. Pour le reste, je chasserai, je ramènerai à ma mère de quoi manger, je tiendrai ma promesse, je l'aiderai et déposerai sur la table des lapins morts.

Je ramasse la carabine et, sans me retourner, je sors du garage.

Il va faire chaud. Les dernières traces de brume s'effilochent au ras du sol tandis que le ciel commence à prendre des teintes rosées. Un belle journée, un moment idéal pour partir sans idée de retour. Je détache le chien et pense à ma mère, aux questions qu'elle va poser à mon père quand elle va être face à lui. Je préfère ne pas être là quand ils vont s'entre-déchirer. Et je marche vite. Je quitte le village, passe par la plage et continue à travers les dunes de sable. Au bout d'un moment, je m'arrête et tourne la tête en direction du cimetière. J'ai l'impression que le fossoyeur me guette, qu'il m'aperçoit comme un point à l'infini, une petite chose insignifiante qu'il pourrait vite effacer en claquant des doigts. Je frissonne et m'enfonce dans les hautes herbes, bifurque plus tard en direction du bois. Le terrain commence à grimper et je regrette de ne pas avoir pris par la route. Je peine dans la montée, transpire et m'aide de la carabine, l'utilise comme une canne. Pour me soulager, j'attache le chien au bout de sa laisse et me fais tirer. Encore un ou deux kilomètres de pierraille et de chardons avant le sommet, et la descente par un sentier de bûcherons, une allée presque droite qui mène au camp de chasse. J'espère que Zeb y est, qu'il a pu s'y installer. Je m'agrippe à la laisse et me penche sur la pente. D'imaginer mon frère si proche de moi, je marche avec plus d'obstination et ne me soucie plus des cailloux qui roulent sous mes souliers. Je devrais, pourtant. À mi-chemin, sans savoir comment, je tré-buche et déboule sur plusieurs mètres. Je me retrouve sur le dos, bras en croix, et je reste un long moment à fixer le ciel, à me perdre dans son immensité. Je suis bien et ne bouge plus. J'attends que le soleil me rende aveugle et que toutes formes autour de moi s'évanouissent. Quand elles ont disparu, quand plus rien n'existe autour de moi, je hurle, je me vide les poumons et je crie le prénom de mon frère. Je l'expulse de mon corps comme s'il s'agis-sait d'un parasite en train de me ronger, de me détruire à petit feu. Et je meurs. Je ferme les paupières et expire, écoute aussi le bruit du vent par-dessus les battements de mon cœur, entends les oiseaux, les insectes et le chien qui halète à mes côtés.

— On va retrouver ton maître. On va retrouver Zeb et on va rentrer à la maison, tous les trois.

Je dis ça, mais j'ai ce mauvais pressentiment. Les paroles de ma mère s'insinuent dans mes pensées – *une mère sait quand son fils est mort, elle sait ça, Ray* – et le visage de Zeb se superpose à celui de Steve. Je m'accroche à la laisse, pose un genou à terre et me relève. J'ai chaud, soif. J'ouvre mon sac et en sors la bouteille d'eau. Je bois au goulot de longues gorgées, fais ensuite boire le chien dans le creux de ma main.

— Pis maintenant ? je lui demande.

Continuer, il n'y a plus que ça, marcher jusqu'au camp de chasse. Je ramasse la carabine et la passe en bandoulière. J'aimerais être hier, en hiver. J'aimerais que le temps n'existe pas, que mon frère soit toujours là, j'aimerais tracer pour lui une piste dans la neige, bien la tasser pour éviter qu'il peine en me suivant. Je m'essuie le front, toute cette sueur qui me dégouline sur le visage, et j'ordonne à Zeb de serrer les dents, lui dis que je lui masserai la jambe, une fois au sommet, que bientôt j'aurai tué deux perdrix. Des mots qu'il connaît, les mêmes qu'il m'a déjà servis, toujours ses mensonges qu'il me répétait, bientôt et Sayonara. Quand j'arrive enfin en haut de la colline, j'ai le sentiment d'être devenu autre. Je reprends mon souffle et respire à pleins poumons, calme la peur qui, un instant plus tôt, me grugeait l'esprit. Une brise venue de je ne sais où me rafraîchit. Je m'assois sur un tronc d'arbre et je regarde autour de moi. Le paysage a changé, il est bien différent de celui de l'hiver. L'étendue recouverte de neige a disparu et le sommet de la colline a été coupé à blanc. Il ne reste que des souches, de petits moignons armés de rejets, une solide armée immobile et bien alignée dont je pourrais être le général. J'inspecte mes troupes de long en large et découvre bientôt le chemin des bûcherons qui conduit droit au lac. Quand je suis sûr de moi, je rappelle le chien et arme la carabine. J'ai toutes les chances de surprendre un chevreuil aux abords de l'eau. Je retiens ma respiration et marche en plissant les yeux. J'avance lentement, évite de faire craquer les branches sous mes pieds et enjambe les ornières laissées par les tracteurs montés chercher le bois. Plusieurs fois, j'épaule la carabine, croyant avoir aperçu un animal. Ce ne sont que des ombres sorties de mon imagination, un effet de la fatigue. Mais je continue à les traquer, à lever mon arme à chaque apparition. Puis soudain, au milieu des arbres serrés, un éclat argenté attire mon attention. La réverbération du soleil sur les vitres du chalet. J'oublie la chasse et prends mes jambes à mon cou. Je dévale le chemin accidenté jusqu'aux berges du lac et dépasse le chien d'une bonne longueur. Je tiens à être le premier à me jeter dans les bras de mon frère, le premier à sentir sa main sur ma peau. Mais il n'y a que le silence pour m'accueillir. J'inspecte le sol, les traces de pneus laissées dans la boue. Plusieurs voitures sont passées. Je reconnais les traces du pick-up de Beef, de larges empreintes profondes et crantées. Il est venu, lui aussi a voulu vérifier si mon frère était dans le coin. Déçu, je m'assois sur les marches du camp de chasse. Le chien flaire les environs et remue la queue. Il semble avoir senti une odeur familière. Je vais attendre Zeb, c'est ce que je me dis, je vais rester planté là, assis, et le guetter. Le canot, d'habitude remisé, a été tiré sur la petite plage. Une pagaie est à son bord. J'hésite à mettre l'embarcation à l'eau et à me balader sur le lac. En fait, je ferais n'importe quoi plutôt que de pousser la porte du chalet. Je le fais pourtant, parce qu'il le faut, et ne découvre rien qui pourrait me signaler la présence de Zeb. Rien, sauf un jeu de cartes éparpillé sur le plancher et une chaise renversée. Et je ne bouge plus, je reste debout devant la fenêtre à fixer le paysage. Il va revenir, j'en suis certain, je me dis ça et le temps passe, le ciel s'obscurcit et la nuit tombe. Plus tard, je ramasse les cartes et les pose au milieu de la table. Elles sont comme une présence, l'ombre brisée de mon frère.

10

Il fait noir et j'ai froid. Je charge le poêle et attends que le feu prenne pour allumer la lampe à pétrole. Je partage ensuite une boîte de thon avec le chien, grignote mes dernières miettes de pain en étalant les cartes sur la table. Une réussite. Je me jure que Zeb sera là au matin si je la gagne.

Je perds.

Je distribue plus tard le jeu comme mon frère me l'a appris et tente d'écarter les as. Poker tricheur. Je n'ai pas sa dextérité, les cartes m'échappent des doigts et retombent en paquet sur la table. Je ne suis pas doué, je ne l'ai jamais été. Je m'allonge sur le canapé et m'endors, me réveille seul au matin. Il fait grand jour et personne n'est venu. Je me lève et sors du chalet. La brume se disperse sur les eaux du lac et des canards s'envolent à mon approche. Je pourrais rester ici, ne plus revenir au village. Je pense à ça et, un instant plus tard, je fouille dans les placards de la baraque. Des conserves périmées et du thé. Je n'ai pas vraiment de quoi survivre. Je ramasse la carabine et franchis de nouveau la porte. Je suis décidé, je vais passer de l'autre côté du lac, me tapir entre les roseaux et abattre un animal. Je siffle le chien et commence à remonter le chemin des bûcherons. Je mets longtemps à trouver un sentier pour contourner l'étendue d'eau. Je m'enfonce dans la boue et provoque des bruits de succion à chacun de mes pas. Plusieurs fois, je reste prisonnier de la tourbe. Mais j'avance, me débats et m'énerve aussi contre les mouches noires et les moustiques, toutes ces saloperies volantes qui bourdonnent et veulent me bouffer tout cru. Indifférent aux bestioles, le chien ouvre la voie. Il furète entre les roseaux et les touffes de scirpes, de hautes herbes sèches qui cachent une pitance autrement consistante qu'une moitié de boîte de thon. Il disparaît et je le rattrape plus tard. Il est assis sur un tertre et semble m'attendre. Il a découvert l'endroit idéal, un petit surplomb qui domine le lac et offre une vue imprenable sur le chalet. C'est ici qu'il faut être, que je dois m'installer. Sans attendre, je pose mon sac et me débarrasse de ma carabine, entasse pêle-mêle des branches mortes et me construis au plus vite un abri précaire afin de m'embusquer et de devenir invisible, de rester à l'affût un long moment. Ma petite construction terminée, je me passe une bonne couche de boue sur la nuque et le visage, seule solution contre les insectes. Ne me reste plus qu'à patienter, à m'allonger et à guetter l'animal. Je prends pour cible le chalet, déplace ma ligne de mire sur le canot, vise un passager imaginaire et reviens sur l'une des fenêtres du camp de chasse. Je m'entraîne à réguler ma respiration, cale bien la crosse de mon arme contre mon épaule, reste l'index sur la détente, me répète sans cesse les mots de Zeb : *c'est quelquefois nécessaire de tuer.* J'en suis là, des fourmis me courant déjà dans les membres, quand j'entends le premier coup de klaxon. Un second lui répond. Deux autos débouchent de la route et roulent à fond de train sur le chemin qui conduit au chalet. Zeb.

Je reconnais sa voiture. Il est suivi de Phil, et ils se doublent, font une sorte de course qui se termine sous un épais nuage de poussière. Je retiens mon souffle et attends de voir apparaître mon frère. Phil ouvre sa portière et titube jusqu'à l'autre voiture. Il crie, tient par le goulot une bouteille, en boit plusieurs gorgées avant de forcer la portière de Zeb. Lou en sort. Pour échapper aux bras de Phil, elle se met à courir en direction du lac. Puis elle s'arrête, se déchausse et déboutonne sa chemise avant de reprendre sa course. Phil tente de la rattraper. Il est proche, boit une autre gorgée, montre la bouteille à Lou. Il essaie en même temps de se débarrasser de son pantalon. Il s'entortille dedans, saute à cloche-pied et tombe sur le sol. Il rigole et se tortille, boit au goulot de sa bouteille. Lou fait demi-tour et retire sa chemise. Je vois ses seins. Elle les caresse, les montre à Phil qui tente de lui saisir une cheville. Elle l'évite de justesse et lui prend la bouteille des mains. Je n'en manque pas une miette. Je regarde Lou et je sens mon sexe durcir. Elle boit, s'approche à nouveau de Phil et lui rend la bouteille. Il rigole en la portant à sa bouche, arrête soudain de rire quand Lou fait glisser son jean. Il tente de se relever et trébuche, son pantalon descendu sur ses chaussures. Lou recule et met un pied dans l'eau. Elle est nue, complètement, et je bande. Je ne tiens plus en place. Phil se met à ramper, les pieds toujours entravés dans son pantalon. Lou revient sur ses pas, s'accroupit devant lui et lui reprend la bouteille. J'ouvre ma braguette et imagine un instant la vue que je pourrais avoir à la place de ce type. Lou se relève, pivote sur elle-même et regarde autour d'elle. Puis elle saisit la bouteille par le goulot et cogne Phil de toutes ses forces. Elle le frappe à la tête, de violents coups assénés sur le côté. Je me fige et oublie ce que j'étais en train de faire. Phil lève une main pour se protéger et appelle. Je ne bouge pas, je maintiens fermé le museau du chien pour éviter qu'il n'aboie, ne peux m'empêcher de regarder. Lou frappe à nouveau, puis attrape Phil par le pantalon et le tire jusqu'au lac. Il se débat, ressemble à une anguille fraîchement pêchée qui se tortille. Elle ne le lâche pas, arrive enfin à mettre un pied dans l'eau. Quand elle a de l'eau à mi-mollet, elle se jette sur Phil comme s'il était une planche de salut et lui enfonce la tête sous l'eau. Il bat des bras, tente un dernier soubresaut pour remonter à la surface. Mais Lou s'agrippe, reste soudée au corps de l'homme, empoigne ses cheveux pour lui maintenir le visage sous l'eau. Ça dure peut-être deux minutes, puis le calme revient. J'entends à nouveau les oiseaux et les moustiques, ces bruits que j'avais oubliés. Lou se relève alors et se traîne sur la berge. Du pied, elle efface leurs traces de lutte avant de scruter les environs. Elle enfile ensuite sa chemise et court jusqu'à la voiture de Zeb. Elle en ouvre le coffre et récupère un gros sac qu'elle traîne jusqu'à la rive. Il semble lourd. Puis elle fonce vers le canot. Elle le pousse à l'eau et le rapproche de Phil. Elle est rapide et déterminée. Elle travaille avec précision, comme si elle avait répété longtemps, comme si elle savait exactement ce qu'elle allait faire. En deux temps trois mouvements, elle se penche sur Phil, lui saisit une jambe et l'attache au canot, vérifie le nœud et charge le sac avant de grimper dans l'embarcation sans même la faire tanguer. Et elle pagaie, vient droit sur moi, se dirige vers mon affût et reste les yeux plantés dans les miens. Elle ne peut pas me voir, mais je me baisse, la regarde approcher entre les branches, retiens toujours le chien d'une main, le force à rester couché. Lou repose la pagaie et se déplace à l'arrière du canot. Elle noue une autre corde autour d'une cheville de Phil, pousse un petit cri et balance son sac par-dessus bord. Tout bascule, et je me dresse d'un bond. Le canot a chaviré. Je compte les secondes, vois Lou réapparaître. Elle s'accroche à l'embarcation, tente de la retourner mais n'y arrive pas. Elle essaie une deuxième fois. Le canot ne bouge pas. Une corde a dû rester accrochée, retenant l'embarcation au corps. Lou renonce et nage vers la plage. Une fois sur la berge, elle se chausse et se dirige vers la voiture de Zeb. Elle la démarre, fait rugir le moteur et fonce droit en direction du chemin des bûcherons. Je ne distingue plus rien, entends seulement la voiture qui patine avant de s'arrêter. Lou revient un instant plus tard, en courant. Elle regarde une dernière fois le canot qui flotte entre deux eaux, ramasse la bouteille, son jean, et monte dans la voiture de Phil. Quand je réalise qu'elle a foutu le camp, je lâche le chien et ramasse mon sac. Je n'ai plus qu'un but en tête, faire disparaître la voiture de Zeb. Je me dépêche d'y arriver. La portière du côté conducteur est encore ouverte. Je m'installe au volant, sur le siège encore humide, fouille dans le vide-poche et récupère notre cassette, celle que mon frère enclenchait quand on partait sur la route. Les clefs sont sur le contact. Je démarre et essaie d'avancer. Les roues sont embourbées, bien enfoncées dans une ornière. J'abandonne et reviens vers le chalet. J'attends la nuit pour allumer un feu sur la plage. Je m'enroule dans une couverture et ne quitte pas des yeux l'endroit où le canot retourné flotte encore. Je mange aussi, me force à avaler des fruits au sirop, laisse au chien ma dernière boîte de thon. Dans la nuit, la plainte d'un huard monte du lac et retentit en écho. Je pense à Phil sous l'eau, à ses pieds liés, à son pantalon roulé au bas de ses chevilles. Lou est mon fossoyeur, elle a comblé les deux tombes creusées. J'attise mon feu et combats les fantômes qui rôdent. J'irai trouver Lou, je cognerai à sa porte et lui dirai ce que j'ai vu. Je lui parlerai de Steve sur la piste et de la noyade de Phil, je lui dirai tout ça et je lui demanderai où est mon frère.

— Demain, je dis tout haut, demain je saurai.

Et, dans la nuit, le son de ma propre voix me fait peur.

11

Le lendemain, en fin de journée, je quitte le lac par le chemin d'où sont arrivées les voitures et je marche longtemps pour rattraper la route qui conduit au village. Je tends le pouce, mais ne me fais que gifler par le souffle chaud et empuanti des camions qui me déporte chaque fois un peu plus sur le bas-côté. Je suis armé et personne ne veut me prendre, me conduire un peu plus loin. Au mieux, on me klaxonne pour m'avertir de me ranger au plus vite, d'emprunter le fossé.

Ce que je fais quand le soir tombe.

Et je repense à Lou accroupie sur le sable, me souviens du jour où je l'ai vue arriver au village. Elle avait marché sous le soleil depuis la grand-route, et son visage était luisant de sueur. C'était l'été, le mois d'août, j'étais assis sur les marches du magasin général et je sirotais un Coke. Nous savions tous que Beef avait engagé une fille, une nouvelle serveuse, qu'elle venait de la ville, à des kilomètres de notre bled. Et j'avais été le premier à la voir.

— Le bar est fermé? elle m'avait demandé.

J'avais hoché la tête, montré mon Coke, dit qu'il y en avait du frais à l'intérieur. Après avoir fait un demi-tour sur elle-même, elle avait posé son sac et relevé une mèche devant ses yeux avant de venir s'asseoir à mes côtés. Elle respirait fort, reprenait son souffle comme après une course de fond, et sa poitrine montait et descendait sous sa chemise entrouverte. Au-dessus de la dentelle blanche de son soutien-gorge, de petites perles de sueur étaient accrochées à sa peau.

— Du Coke, c'est ça?

— Ouais.

Notre conversation n'avait pas été plus loin. J'étais resté silencieux, n'avais pas osé parler ni la déranger. À un moment, j'avais même cru qu'elle s'était endormie. Puis elle avait allumé une cigarette et relevé ses lunettes de soleil sur son front.

— Il y a toujours autant de monde ici?

— Bah…

— Un autre Coke?

Je n'avais émis qu'un grognement et elle s'était tortillée devant moi pour enfiler une main dans la poche de son jean et en ramener un billet.

— Tu veux bien aller en acheter deux?

Le temps de rentrer et de sortir de l'épicerie, elle n'était plus là. Je ne l'avais revue que le soir, au bar, où je lui avais rendu sa monnaie. Des souvenirs, un bon moment, des instants que je dois maintenant oublier. Et je marche sans plus penser à Lou, je ne m'arrête plus, je continue jusqu'à la maison, jusqu'à ce que j'aie franchi le seuil de la baraque. Il fait presque nuit noire quand j'attache le chien à sa chaîne. Mes parents sont dans la cuisine et se disputent. Je ne sais si je dois entrer ou pas. J'hésite, puis je pousse la porte. Ils se taisent immédiatement et m'observent tous les deux. Mon père est assis à sa place, proche du réfrigérateur, et ma mère se tient debout devant l'évier.

— T'étais où, toi?

— À la chasse, je réponds.

Je pose ma carabine sur la table et bois un grand verre d'eau au robinet. Mon père a aligné plusieurs bouteilles devant lui et il en attaque une nouvelle. Je remarque le revolver glissé dans sa ceinture. Il est soûl, au bord de s'écrouler. Je préfère les laisser seuls et je sors de la maison. L'engueulade repart de plus belle. Ma mère hausse le ton, assaille mon père de questions. Il se met à hurler :

— Tu veux vraiment le savoir ? C'est ça ? Tu veux que je te le dise ?

Il y a soudain un bruit de chaise renversée. Je me mets à trembler. Il va le faire, je le sens, il va poser le revolver sur sa tempe et tirer. Je regarde le ciel, vois la Grande Ourse et compte en même temps les secondes.

— Tu veux vraiment le savoir ? répète mon père.

Ne rien entendre. Je me bouche les oreilles et me parle en même temps. Mes mots résonnent dans ma tête. J'appelle mon frère, je lui dis qu'il n'aurait pas dû partir, nous abandonner, je lui dis que j'ai oublié le Japon et les geishas aux lèvres cousues d'un coquelicot rouge, qu'il peut revenir, que ses mensonges ne comptent pas. Et la détonation retentit. Mon père. J'imagine aussitôt le sang qui gicle sur les murs et le corps qui s'affaisse. Je ne veux pas voir. Et je cours, sans savoir où. Je cours et me retrouve sur la plage. Il n'y a plus rien autour de moi que des lumières rouges ou vertes, des bouées qui oscillent dans le vide. Je serre les poings. Mon père a réussi, il a fini par commettre l'irréparable. Zeb, et maintenant lui. Deux absents, l'un ailleurs et l'autre mort, couché aux pieds de ma mère. Je pleure et continue à me boucher les oreilles, je ne veux plus rien entendre que le silence de la nuit qui me remplit petit à petit.

LES MOTS DE LOU

Tu te crois tout permis, c'est ça? Tu penses que tu peux débarquer ici, ouvrir le frigo, te sortir un Coke et t'installer à la table sans dire un seul mot? Tu te prends pour qui, Ray? Tu veux me faire chanter, tout raconter au village? Vas-y si le cœur t'en dit, dénonce-moi. Pis arrête de me regarder comme ça. Me fixer avec tes yeux de poisson mort ne suffira pas à me faire craquer. Je sais que tu m'as vue au lac. Moi, je t'ai vu. Tu y étais et j'y étais. Alors hésite pas, décroche ce crisse de téléphone et dénonce-moi. Ben oui, je suis une meurtrière. Je vais même te dire que jamais j'ai hésité à lui maintenir la tête sous l'eau, que c'était même un plaisir de m'accrocher à ses cheveux, de sentir son corps se débattre sous le mien. Ça s'appelle un meurtre prémédité, et je suis prête à l'avouer, à tout déballer. J'en ai rien à foutre, OK? Penses-tu un seul instant que j'ai peur de toi? Réfléchis, sers-toi de ta cervelle. T'es pas mieux que moi, toi aussi t'as des petites choses à te reprocher, non? T'as pris ton pied avec Steve? Tu l'as regardé mourir avant de tirer le portrait de son cadavre? Parce que c'est toi, les photos, je me trompe? Mais fais-toi z'en pas, quoi qu'il arrive, je ne dirai rien, j'ouvrirai pas ma bouche, jamais je parlerai de toi. D'ailleurs, je me fous bien de ta petite gueule. Pour moi, t'es juste un débile, un gamin à qui il manque une case. Je suis désolée, Ray, mais c'est ce que je pense. T'es taré, complètement, y a pas d'autres mots. Il faut l'être pour avoir fait ce que t'as fait. Merde, les photos! Au début, j'ai même pas pensé que ça venait de toi. Toi, normalement, tu pouvais pas savoir. Toi, t'étais juste dans nos pattes, à attendre que Zeb fasse sa valise, qu'il te conduise jusqu'au bout du monde, qu'il te dise encore et toujours des *Sayonara* avant le grand départ. *Sayonara*, Ray. Il se foutait de ta gueule, t'as pas compris ? Jamais il a voulu t'emmener au Japon. Le Japon, c'était l'idée, la seule pour te tenir à distance, et tu l'as cru, Ray, t'as cru ton frère et ses folies de voyage. Tu veux que je te dise, j'étais avec lui quand il y a pensé. Il voulait t'épargner, t'offrir un rêve avant de disparaître. Parce que c'était son intention, Ray, foutre le camp, repartir à zéro, descendre au sud et reprendre une ferme. Ouais, une ferme, t'as bien entendu. C'est dur à croire, hein ? Difficile de l'imaginer les doigts plongés dans la terre. Il voulait simplement tout recommencer, avoir la chance d'un nouveau départ. Mais t'étais là, Ray, toujours sur ses talons, pareil à un chien, à un bon gros toutou. Il fallait que tu débarrasses, que t'ailles voir ailleurs, qu'on te mette autre chose dans la tête. Et Zeb s'est souvenu de ce type, de ce petit bonhomme jaune descendu un jour d'un Cessna. Un Japonais, un vrai, M. Takeshi. Tout le village l'attendait, c'était la manne tombée du ciel, celui qui allait tout changer, offrir du travail à tout le monde. Il était supposé implanter une petite usine de congélation, sur la côte, pour qu'on puisse exporter notre crabe des neiges directement dans cette ville, Yokosuka. Ç'a pas marché, et les pêcheurs ont vite remballé leurs casiers pour toucher leur BS, une vieille habitude. YO – KO – SU – KA. Ça te dit-tu quelque chose ? Quatre syllabes, Ray, quatre syllabes que ton frère avait réussi à imprimer entre tes deux oreilles, quatre syllabes qu'on a ensuite entendues des milliers de fois dans ta bouche, quatre syllabes que tu rabâchais à longueur de journée alors que tout le monde ici avait depuis longtemps oublié cette histoire. Ça devenait emmerdant, Ray, je te jure, vraiment pénible à supporter. Mais tu y croyais, et ton frère a continué à t'alimenter, à te parler de cette ville. Il t'a même sorti un vieux manuel de géographie du fond d'une armoire et t'a dit de laisser faire le hasard. T'as ouvert le livre les yeux fermés et t'as planté je ne sais plus quoi à la bonne page. Un jeu truqué, Ray, comme le reste. Ce point rouge là, sur la carte, c'était juste pour te tenir à distance, loin de la réalité et de notre projet de départ. Tu peux penser que Zeb t'a trahi, mais c'est pas ça. Il voulait juste se réinventer. Il pensait qu'il en avait le pouvoir. Mais on change pas, Ray, on peut pas, comme ça, se raconter des histoires, devenir ce qu'on est pas. Il disait qu'ailleurs, loin, tout serait différent. Mais pour aller ailleurs, il fallait de l'argent et donc retomber dans ses habitudes, truquer les cartes, endosser à nouveau sa veste de prestidigitateur. Et c'est ça qu'il a fait, avec mon aide. Pour moi, c'était pas bien difficile, j'avais juste à jouer mon rôle, servir à boire et me laisser peloter sans faire ma sainte-nitouche. Pas une pute, non, mais tout comme, du moins, c'est ce que les gars ont toujours cru, et ça, partout où j'ai travaillé. Crois-moi, il en faut pas beaucoup pour les exciter. Un jean moulant, la bretelle apparente du soutien-gorge, et ça y est, t'as droit aux farces cochonnes et aux mains baladeuses. De la viande, Ray, juste un bout de viande sur pied, un joli petit lot à tringler. Je te dis pas que ton frère m'a forcée, je dis pas ça, mais ça aidait, c'était plus facile pour lui. J'avais juste à me pencher un peu et tout le monde oubliait le jeu. On avait aussi notre code. Il n'avait qu'à me faire un signe quand il voulait que je détourne l'attention pour qu'il puisse remettre dans le paquet les cartes qu'il avait sur les genoux. On était discrets, on se construisait notre petit futur à coup de fausses coupes et d'as perdus. Un jeu d'enfant. Et ç'a continué, semaine après semaine, au point qu'il devait perdre de temps en temps. Te souviens-tu du type qui venait du Labrador? C'était quand? À la fin de l'été, au début de l'automne? Septembre, peut-être, avec les premières gelées. Un ingénieur ou un technicien. Il avait travaillé sur un pétrolier et il voulait jouer, tout miser. Il pensait qu'il pouvait gagner et il disait qu'il voulait s'amuser. Les parties se sont enchaînées jusqu'au petit matin et les billets, en quelques tours, ont vite changé de main. Il a voulu continuer, forcer sa chance, et il a posé un revolver sur le tapis vert, une mise comme une autre. Il a ensuite parlé des marins, ces hommes d'équipage, la plupart des Pakistanais, qui la nuit rôdaient et pouvaient à tout instant égorger le dormeur solitaire. Le jeu distribué, ton frère a pas mis longtemps à récupérer l'arme, et sans tour de passe-passe. Tout aurait pu s'arrêter là, mais le gars a voulu faire un dernier tour, pour l'honneur. Et il a misé sa bagnole, Ray, tu te souviens? Une jeep. Tu te rappelles cette partie? Même ton père était là. Une auto, Ray. Je me suis transformée, j'ai commencé à tourner autour de ce type comme si ma vie en dépendait. Sa bagnole, sa saloperie de jeep, c'était notre billet pour le grand départ, rien de moins. Je la voulais, je t'assure, et j'ai tout fait pour. Une vraie chatte en chaleur. Ils ont bientôt tous été à ma merci, ils pensaient plus qu'à une chose, me culbuter pour m'enfiler. Et pendant ce temps, pendant que, langue pendante, ils fantasmaient comme des malades, ton frère n'avait plus qu'à faire son numéro. Cinq cartes, poker fermé, avec deux tours d'enchères. J'ai continué mon service, rhum et scotch pour qui en voulait, et reluqué les jeux au passage. Zeb avait un carré, c'était gagné, il n'avait plus qu'à abattre ses cartes pour rafler la mise. J'ai continué mon manège, chemise entrouverte, jusqu'à ce que Beef m'ordonne de m'asseoir dans un coin. Lilia a pris le relais, pas bien longtemps, et le type a balancé les clefs de sa bagnole sur la table. Il voulait voir, était sûr et certain de ramasser le gros lot. Et quoi? Les autres se sont couchés, ton frère a suivi. Tu te souviens de l'ambiance, de cette électricité dans l'air? Tout le monde attendait de voir les cartes de ton frère. Tout le monde croyait que la bagnole allait changer de main comme le revolver. Quand Zeb a montré son jeu, mon cœur a fait un bond. J'en revenais pas, j'avais vu son carré, Ray, je l'avais vu, et il a balancé des merdes sur le tapis, une paire de deux, rien de mieux. Il avait triché pour perdre. Plus tard, il m'a expliqué pourquoi. Il m'a dit que j'en faisais trop, que ma façon de tourner autour du type n'était pas naturelle, que je ressemblais presque à un barracuda, que Beef avait dû le remarquer, qu'à l'avenir on devrait s'en méfier. Tu veux que je continue? T'as toujours pas l'intention d'ouvrir la bouche? Ben, dans ce cas, je vais tout te dire, je vais aller jusqu'au bout, pour toi, pour que tu saches vraiment ce qui s'est passé. Je vais te lâcher la vérité, Ray, tout te balancer. À ton âge, t'as le droit de savoir. Ouvre bien tes oreilles, tu vas enfin comprendre pourquoi j'ai creusé, pourquoi j'ai remué toute cette pourriture de terre congelée comme une conne. Deux trous, Ray. Un pour Steve et un pour Phil. M'en reste un autre à creuser, le dernier. C'est bon, t'es prêt? Alors, accroche-toi!

Après cette partie, je me suis un peu plus méfiée de Beef. Puis, avec le temps, je l'ai zappé, j'ai oublié les recommandations de ton frère et je ne me suis plus souciée de rien. On commençait à avoir un petit magot, pas vraiment de quoi tenir la route, mais assez pour envisager le grand départ. Toi, pour te tenir à l'écart, il suffisait de t'abreuver de quelques conneries sur le Japon. Les singes ou les geishas, n'importe quoi pour que tu fixes un point à l'est et que tu nous foutes la paix. Le jeu a donc continué. Je me laissais tripoter le cul de temps en temps, et ton frère amassait toujours un peu plus de fric. Rien de bien sérieux, des parties tranquilles, une somme quasi quotidienne, presque un salaire. C'était pas lourd, mais avec ma paye, on pouvait s'en tirer. Par contre, il y avait aussi ta mère dans le décor, et ça, Zeb avait du mal à le supporter. Il voulait pas partir comme ça. Il disait qu'il l'avait déjà trop fait souffrir, qu'avec ton père, chez vous, c'était un peu l'enfer, qu'il pouvait pas vous abandonner sans un sou, qu'il devait vous laisser quelque chose, au moins assez pour vivre. Je comprenais, du moins j'essayais, mais avec le temps, j'ai commencé à t'imiter, j'arrêtais pas de l'achaler avec la date du grand départ. À lui poser toujours les mêmes questions, on devait lui taper sur les nerfs. T'imagines, on était tous les deux à le pousser à bout, à le harceler. On aurait pas dû, Ray, on aurait mieux fait d'attendre, de continuer à espérer en silence. Mais on était là, comme des mouches à lui tourner autour. «Quand, Zeb, quand? Emmène-moi au plus sacrant.» Deux gamins, Ray, deux enfants pleurnichards et inconscients. Sans nous, il aurait réfléchi, il n'aurait pas foncé tête baissée dans le piège. Parce qu'ils l'ont piégé, Ray, ils l'ont attiré dans un guet-apens, rien de moins. Et je sais de quoi je parle, parce que j'étais là, bien présente quand ils lui sont tombés dessus. Je m'y attendais presque, je me disais bien qu'on pourrait pas aller jusqu'au bout, qu'il y aurait forcément un obstacle entre nos désirs et la réalité. Et ça en a été tout un ! Bref, pour faire une histoire courte, une nuit, Zeb a débarqué chez moi, il m'a dit de me grouiller le cul, de faire mon sac au plus vite, qu'à l'aube on serait loin sur la route. Il était tendu, énervé, et il marchait de long en large. Beef lui avait proposé une partie, là, tout de suite, au lac. Il m'a répété que c'était notre seule chance, qu'il fallait en profiter, qu'il y aurait un gros paquet d'argent, qu'il pourrait en ramasser un maximum pour nous tirer de là, que ta mère serait à l'abri. Je lui ai dit qu'il fallait se méfier, mais j'ai quand même fait mes bagages, j'ai fait ce que ton frère m'a demandé et on est partis. Juste avant de monter dans la bagnole, je me suis aperçue qu'il avait glissé son revolver dans sa ceinture. Lui aussi se méfiait, avait des doutes. Je l'ai questionné, je lui ai demandé pourquoi une partie si tard, comme ça, à la dernière minute. Il m'a répondu que c'était le destin, juste le destin. Un crisse de destin, si tu veux mon avis. Le temps qu'on aille du village à la 138, j'ai réfléchi. Y avait quelque chose qui marchait pas. Beef, c'est pas le genre à perdre de l'argent, à organiser une partie à l'improviste, comme ça. Je l'ai dit à ton frère, je lui ai demandé de renoncer et de faire demi-tour. Je l'ai supplié, Ray, mais il a rien voulu savoir. Et en même temps que je le suppliais, je me disais que c'était la fin, son dernier coup de bluff avant de changer de destin. Arrivé à l'embranchement, il m'a regardée droit dans les yeux. Il m'a promis que c'était la dernière fois. Et il a pris la direction du lac. Il a plus parlé jusqu'au camp de chasse. Quand on est arrivés, on a vu leurs autos. Celles de Phil et de Steve, le pick-up de Beef, comme s'ils nous attendaient depuis un bon bout de temps. Ça sentait pas bon, vraiment pas. J'ai posé une main sur la cuisse de ton frère. Je voulais le retenir et, en même temps, je pensais plus qu'au départ. Ton frère a souri et il a vérifié son revolver. Il a dit on y va, et il a débarqué. Je l'ai suivi, j'ai marché derrière lui avec un poids sur le cœur. Je pourrais pas l'expliquer, Ray, peut-être le sixième sens, quelque chose comme ça, mais j'ai su que ça allait mal tourner, qu'on se précipitait tête baissée dans les emmerdements. Puis j'ai aperçu la lueur de la lampe à pétrole et j'ai oublié le reste. Un vrai papillon de nuit ! Je me suis même mise à penser au lendemain, au nouveau jour qui allait se lever. Comme dans la chanson ! J'étais prête à me laisser brûler les ailes pour quelques dollars, à me faire épingler sur une planche de bois. Et c'est ce qui est arrivé, Ray, je t'assure, ils m'ont pas ratée.

Un autre Coke ? Non ? Parce que moi, là, j'ai la gorge qui dessèche. Passe-moi la bouteille, Ray. Le scotch, pas l'eau. L'eau, j'en ai assez bu au lac.

J'ai donc suivi ton frère, je marchais juste derrière lui. Je pense que j'étais excitée à l'idée de me pousser pour toujours de ce village. On touchait au but, c'était notre chance, on allait se remplir les poches et repartir aussi vite qu'on était venus. C'est à ça que je pensais. Pis ton frère a ouvert la porte et j'ai vu Beef assis à la table. Il avait sa gueule des mauvais jours, les mâchoires tendues et son mouchoir roulé dans son poing. Il a montré du menton une chaise à ton frère. Il y avait cinq verres sur la table, cinq verres et une bouteille. Ça voulait dire qu'ils étaient tous là, qu'ils nous attendaient. Steve, Phil, Chad,

Beef et sûrement Martin. Ils étaient là, mais il n'y avait que Beef de visible, Beef qui trônait devant un jeu de cartes. Il a tout de suite demandé à ton frère de sortir son argent. Zeb a sorti une liasse de ses poches, nos économies, tout ce qu'on avait mis de côté, et il s'est installé en face de lui. Je me suis placée dans son dos. «Toi, tu recules», a fait Beef en me désignant du doigt. On y voyait rien, mais j'entendais parfaitement la respiration de ces types, je devinais leur présence dans l'obscurité, comme des vautours à l'approche de la curée. «Une partie, une seule, la liasse au complet», a lâché Beef à ton frère en lui tendant les cartes. Zeb a coupé et battu le jeu. Une partie. Il avait pas vraiment le choix de bien se servir. Pendant qu'il distribuait, Beef l'observait. Il fixait Zeb de ses yeux vides, il fixait ses doigts, les gestes qu'il faisait. Il le regardait un peu comme si ton frère était devenu invisible. Quand les cinq cartes ont été distribuées, Beef y a pas touché et il a continué à regarder ton frère. Il transpirait et n'arrêtait pas de se passer son fichu mouchoir sur le crâne. Pis il a fait une drôle de grimace, il a fait claquer sa langue contre son palais et il a enfin baissé les yeux. Ça a pas duré longtemps, juste le temps d'un mauvais sourire, puis il a jeté un coup d'œil à ton frère avant de lui ordonner de se lever. Zeb a hésité. Il s'est tortillé sur sa chaise, s'est balancé d'avant en arrière comme un gamin pris en faute. Là, j'ai su qu'il avait dû écarter des cartes, en glisser deux ou trois sur ses genoux. Un vieux truc, trop connu. Beef a sorti son nerf de bœuf et ton frère s'est levé. Les cartes sont tombées au sol, presque au ralenti. Beef a levé un sourcil et il a demandé d'une voix cassée: «Depuis combien de temps, Zeb? Depuis combien de temps tu nous arnaques avec tes combines? Tu peux-tu nous le dire? Et ta pute, c'est quoi, son rôle là-dedans?» Je te jure, Ray, il avait même pas l'air en colère, on aurait dit qu'il l'avait toujours su. Ton frère est resté debout, les bras pendants. Il avait l'air de pas savoir quoi faire de ses dix doigts. Il ne lui restait qu'une solution pour s'en tirer, sortir son revolver. C'est ça qu'il a fait. Il a pointé Beef, il l'a mis en joue et il a relevé le cran de sécurité. Pis, lentement, il a ramassé le fric étalé sur la table et l'a glissé dans ses poches. Un instant, j'ai cru qu'on allait s'en tirer, j'ai bien cru qu'on allait franchir la porte et se retrouver sous les étoiles. Mais Steve et Chad sont sortis de l'obscurité. L'un des deux a frappé Zeb dans les reins et Phil m'a attrapée par un bras. Et le cauchemar a commencé, une valse folle de saloperies. Zeb s'est écroulé, genoux au sol, et ils lui ont maintenu les deux mains sur le rebord de la table. Beef a grogné de plaisir avant de bouger son gros cul pour s'approcher de ton frère. «Depuis combien de temps, Zeb, depuis combien de temps tu nous fourres?» Il me regardait en lui posant la question. Et j'ai senti une main sur mon corps, une main qui cherchait mes seins, s'aventurait sous mon chandail. J'ai essayé de reculer, mais Phil me tenait serré. Il puait l'alccol! J'imagine qu'il avait cherché du courage au fond d'une bouteille. Phil a commencé à me mordiller, à m'enfiler sa langue dans l'oreille, à me susurrer des trucs comme quoi ils allaient me baiser, se rembourser sur la bête. Je me suis débattue, j'ai frappé et griffé, et j'en ai pris toute une! Je me suis retrouvée sur le sol, complètement sonnée. Quand Zeb s'est aperçu de ce qui se passait, il a voulu se relever. Beef a cogné à ce moment-là, il a écrasé son nerf de bœuf sur la main droite de ton frère. Je l'ai entendu hurler, Ray, un cri inhumain. Et Beef a recommencé, il a cogné une seconde fois. Zeb a roulé sur le plancher, à moitié évanoui, et Steve l'a labouré de coups de pied. Un massacre. Et ils riaient, Ray, tous ces types riaient. Ils riaient et ils buvaient, ils s'amusaient. Quand Zeb a été inconscient, ils ont fini par se jeter sur moi et je suis devenue la poupée qui leur manquait. De force, Phil m'a ouvert la bouche et m'a obligée à boire. J'ai failli m'étouffer, mais il a insisté, m'a obligée à avaler. « Pour te désinfecter », qu'il a dit. Et j'ai senti une autre main glisser sur ma peau. Chad, peut-être, ou Martin, je sais pas. Je voyais plus rien, quelqu'un avait baissé la lumière et j'avais des larmes dans les yeux. Ils ont déboutonné mon jean et l'ont tiré sur mes cuisses. Je me suis vite retrouvée le cul à l'air. Deux tricheurs, a gueulé Beef, va falloir payer. Ils s'en sont donné à cœur joie, tu peux me croire. J'ai essayé de leur échapper. J'ai voulu ramper vers ton frère, me glisser sous la table, mais j'ai pas pu. Ils m'ont saisie par le pantalon et m'ont retournée comme une crêpe. Avec un couteau de chasse, ils ont découpé mon chandail et les bretelles de mon soutien-gorge. Puis Steve m'a redressée, il m'a tirée par les cheveux et m'a collé la joue sur sa saloperie de braguette. « Si tu veux t'en tirer, ma belle, tu vas devoir me sucer, me sucer et y mettre un peu d'amour. » Il a sorti son machin et il a essayé de me le glisser entre les lèvres. J'ai détourné le visage et j'ai senti la lame du couteau sous ma gorge. J'ai ouvert la bouche, en me disant que j'allais lui arracher la queue, la recracher sur le sol et le regarder se vider de son sang. Il avait dû y penser, parce qu'il m'a aussitôt avertie qu'à la moindre connerie il m'égorgerait sur place. Je me suis exécutée, Ray, j'ai pompé ce salaud jusqu'à ce que ça me revole dans la face. Ensuite, Phil m'a demandé d'aboyer et de marcher à quatre pattes. Ça l'excitait, j'imagine. J'ai obéi : j'ai aboyé et j'ai marché à quatre pattes, et j'ai continué à me traîner sur le plancher jusqu'à ce qu'il m'arrête d'un bon coup de pied en me disant que je ne valais rien comme chienne en chaleur. Pis, là, il m'a écarté les cuisses de la pointe de son soulier et il a dit : « Le revolver, je vais te l'enfiler bien profond. » Et il l'a fait, Ray. Il m'a enfilé le canon de son crisse de revolver dans le corps avant d'y glisser sa bite. Et il riait, Ray. Je saignais, et ce salaud riait. Puis il y a eu l'autre, le troisième, la dernière tombe à creuser. Je sais pas si c'était Chad ou Martin, je l'ai pas vu. Mais je me souviens de son odeur, de son souffle dans mon cou et de ses doigts, des doigts qui me fouillaient l'intérieur, s'enfonçaient dans mes entrailles, allaient et venaient en moi, me pinçaient. Un sadique, Ray. Il a pris son temps, il m'a tripotée long-temps avant de me grimper dessus, de me prendre par-derrière. Et pendant qu'il faisait son affaire, pendant qu'il était en moi, il y a eu comme un silence dans la baraque. On aurait dit que tout le monde avait disparu ou quitté la pièce, que plus rien n'existait que ce type qui me labou-rait l'intérieur et haletait dans mon dos. Je n'entendais plus que lui, les grognements qu'il poussait, comme si les autres étaient devenus muets. Pis là, il y a eu un rire, le type s'est dessoudé de mon corps, la baraque s'est de nouveau animée et je me suis recroquevillée à terre, les jambes toutes poisseuses de leur cochonnerie. Juste après, Beef s'est penché sur moi et il m'a dit : « Tu lui diras, tu diras à Zeb de foutre le camp et de ne revenir au village que quand il aura assez de fric pour nous rembourser ce qu'il nous a volé. T'as compris, Lou, tu lui feras le message? Puis toi, tu restes dans le coin, tu seras ma monnaie d'échange, et si jamais tu disparais, je te jure que je m'occupe de Lilia. Ça te va, comme *deal*? » J'entendais ses paroles sans vraiment les entendre, il pouvait bien me menacer de n'importe quoi, je m'en foutais royalement. Ils sont finalement partis, pis je me suis mise à brailler. J'avais autant de honte que de haine au fond du cœur, un sale goût au fond de la gorge qui m'empêchait de reprendre mon souffle. Je me suis retournée et j'ai tendu mon bras en direction de ton frère. Il ne bougeait plus. Je me suis rapprochée de lui et je suis restée étendue à ses côtés, je crois même avoir dormi. Plus tard, il m'a secouée. Il était méconnaissable. Son visage ne ressemblait plus à rien. Il avait les lèvres et les paupières éclatées, le nez cassé qui pissait encore le sang. Et ses doigts… Quand il les a posés sur moi, j'ai fait le saut. Mon corps ne voulait plus d'une autre peau sur la mienne, j'avais peur d'avoir mal encore, puis j'ai vu que ses doigts étaient brisés, écrasés. Je l'ai pris dans mes bras et on est restés là, allongés tous les deux, à attendre je ne sais quoi. Il m'a soutenue ensuite et on est sortis du chalet. J'avais froid et je grelottais. Le jour se levait, mais c'était pas celui que j'avais imaginé. Le ciel était blanc et des oiseaux chantaient. Je m'en souviens très bien, Ray, je me souviens de ces oiseaux comme si c'était hier, des pépiements partout autour de nous, comme si tout était normal, comme si ce qui venait d'arriver n'avait pas vraiment eu lieu. J'ai ouvert le coffre de la bagnole, j'ai fouillé dans mes bagages et je me suis changée. J'ai pris le volant juste après et on a roulé sans parler. Je pleurais toujours et je ne savais pas où aller. Pour nous, il n'était plus question de partir ou de reprendre une ferme quelque part.

Tout ça, c'était terminé, le rêve avait avorté. J'ai dépassé la piste et continué à rouler jusqu'au motel du croisement. Ton frère était à moitié dans les vapes et je ne valais pas mieux. Il fallait qu'on s'arrête. J'ai décidé de prendre une chambre. À la réception, j'ai tout de suite reconnu la fille qui y travaillait. Je lui ai raconté ce qui venait de m'arriver et je lui ai demandé de se taire, je lui ai dit que si elle voulait vraiment m'aider, elle pouvait conduire l'auto dans le parking, en arrière. Elle l'a fait sans poser de questions et, avec ton frère, on est entrés dans la chambre. Je me suis déshabillée et j'ai aidé Zeb à faire la même chose. On est restés longtemps sous le jet brûlant de la douche, collés l'un à l'autre, jusqu'à ne plus sentir nos corps, jusqu'à ne plus voir de sang dégouliner dans le fond du bain. Ensuite, on a parlé. J'ai tout dit à ton frère, je lui ai répété les paroles de Beef et j'ai juré de me venger. Un peu plus tard, tu frappais à la porte de l'appartement et Lilia t'empêchait d'entrer. Je venais de lui téléphoner, de tout lui expliquer, je voulais surtout la mettre en garde contre Beef. Elle m'a conseillé de disparaître au plus vite, mais je ne voulais pas la laisser seule à la merci de ce gros porc. Je lui ai dit que j'allais rentrer, qu'avant je devais m'occuper de Zeb, qu'à cause de ses doigts il était pas bon à grand-chose. Après avoir parlé à Lilia, j'ai décidé de me rendre au centre d'achats. Ton frère ne voulait pas qu'on appelle un médecin, il disait que c'était trop risqué, que le type pourrait se poser des questions, appeler la police, qu'on courait tout droit vers d'autres emmerdements. Mais il fallait quand même se soigner, avoir de quoi se calmer, peut-être trouver de la pommade, de l'aspirine, des bandages pour ses doigts. J'ai laissé ton frère tout seul et je suis allée à la pharmacie.

Je tournais en rond dans les allées, je savais pas trop quoi acheter. J'étais complètement perdue. J'avais l'impression d'être un fantôme, l'ombre de moi-même. J'ai ramassé au hasard quelques produits, pis j'ai attendu comme une conne à la caisse. J'avais la gorge serrée, je pouvais plus articuler un seul mot. À tourner la tête dans un sens ou dans un autre, on devait me prendre pour une folle, mais je les guettais, je pensais qu'ils avaient pu nous suivre, au moins l'un d'entre eux. La caissière m'a demandé si j'allais bien et je me suis sentie obligée de lui répondre. Je lui ai dit que j'avais passé une dure nuit. Elle m'a fait un sourire de connivence et j'ai ramassé mes achats. J'avais hâte de retrouver ton frère. À mon retour, il était plus dans la chambre. J'ai patienté, assise devant la télé, et je me suis tapé tous les *cartoons* de la Terre. Après, j'ai sérieusement commencé à m'inquiéter. Je suis ressortie et j'ai filé droit à la réception demander à la fille si elle l'avait vu. Elle m'a répondu qu'il était monté dans l'autobus, celui de 10 h. Ton frère s'était poussé, Ray, il était parti sans même m'avertir. Je suis retournée à la chambre et je me suis abrutie de télévision. Plus tard, je suis sortie acheter une bouteille et de quoi manger. J'ai pensé au suicide, la seule chose intelligente à faire, puis je me suis rappelé le dernier type, son souffle dans mon cou et les petits gémissements qu'il poussait. J'ai alors su que je le ferais, Ray, que tous ces salauds payeraient un à un, que tous ceux qui m'avaient violée crèveraient comme des chiens. Je n'ai plus respiré que pour ça, je te le jure. Dans la nuit, j'ai récupéré l'auto et j'ai quitté le motel. J'ai roulé jusqu'au lac, comme on l'avait fait la veille avec ton frère, et je me suis stationnée devant le chalet. Je suis restée longtemps dans l'auto, mains sur le volant et moteur coupé, puis j'ai ouvert la portière et j'ai mis un pied dehors. Le ciel était plein d'étoiles, tacheté à l'infini. J'ai frissonné, marché jusqu'à la porte du chalet. Je voulais revoir cet endroit, respirer l'air que j'y avais respiré la nuit d'avant, mais je n'ai pas pu, à chacun de mes pas on aurait dit que la baraque s'éloignait un peu plus de moi, qu'elle me refusait d'entrer, de faire face à mes démons. Je me suis alors assise sur les marches et j'ai braillé. Je me suis vidée de toutes mes larmes, j'ai évacué ce qu'il y avait à évacuer de mon corps et je suis remontée dans l'auto. Il était hors de question que je revienne à l'appartement, mais c'est ce que j'ai fait. J'avais besoin de me poser, de ruminer, de penser à un plan, à un moyen de les supprimer. J'ai tout raconté à Lilia, je lui ai balancé ma petite histoire comme je suis en train de le faire avec toi. Elle s'est aussitôt chargée de cacher la bagnole, elle a été la cacher dans le garage de son oncle, le vieux Turcotte. Quand elle est revenue, j'étais couchée, simplement allongée dans le noir, et elle m'a bercée, Ray, elle m'a prise dans ses bras comme une mère l'aurait fait. Et la vie a repris, j'ai fait semblant de respirer et je suis repassée derrière le comptoir, j'ai continué à essuyer des verres et à servir à boire, à les avoir de nouveau sous les yeux. Rien n'avait changé. Ils étaient là, toujours assis à leur place, et ils buvaient et ils jouaient, à croire qu'ils avaient tout oublié, que cette fameuse nuit n'avait jamais existé. Je te jure, Ray, tout avait l'air normal, comme avant. Beef m'a même demandé si mon congé m'avait fait du bien. J'ai joué le jeu, il le fallait pour arriver à ce que je désirais le plus au monde. Petit à petit, je me suis mêlée aux conversations, juste un mot de temps en temps, un regard ou un sourire, n'importe quoi pour les apprivoiser, en savoir plus. C'était un jeu dangereux, mais il nourrissait ma haine, et j'espérais qu'il me permettrait de découvrir le troisième homme, de faire ressurgir de ma mémoire le son de sa voix, de reconnaître ses mains même si je les avais jamais vraiment vues. Finalement je suis devenue cette chienne que Phil voulait que je sois. Je flairais et j'attendais l'erreur pour mordre. Je savais aussi que je risquais d'entraîner Lilia dans une spirale infernale, que Beef l'avait déjà coincée plus d'une fois dans la réserve. Qu'est-ce que je pouvais faire? Me taper la route jusqu'au premier poste de police pour porter plainte? Dire aussi que ton frère les avait arnaqués? Avec quelles preuves, quels témoins? Non. Pis je me moquais bien de les dénoncer, ce que je voulais, c'était les voir raides et allongés, leurs cadavres bien alignés, cordés comme des bûches pour le feu du Jugement dernier. Une envie qui me coulait dans les veines, que je devais alimenter. Pour être sûre d'aller jusqu'au bout, j'ai creusé mon premier trou. J'ai remué toute cette saleté de terre en une seule nuit, je me suis acharnée comme une damnée. Pis un matin, j'ai eu la surprise d'y trouver la photographie d'un lapin écartelé. *Qui est mort?* C'était ta question, Ray, t'en souviens-tu? Moi, j'étais morte, morte et souillée, et seule. Steve est tombé le premier, un coup de chance, et ç'a été très simple jusqu'à ce que tu t'en mêles.

Un soir, il a dit qu'il irait pêcher le lendemain, que des truites frayaient déjà à la rivière. Du braconnage, bien sûr. Et comme tous les autres, je me doutais bien de l'endroit où il s'installerait pour attraper ses poissons. Le coude, il n'y avait que là, où l'eau est la plus profonde. Sans savoir vraiment comment, j'ai su que je devais le faire, que l'instant était arrivé. En rentrant du bar, j'ai réveillé Lilia et je lui ai demandé de sortir l'auto du garage. Elle a tout de suite deviné ce que je voulais faire, mais elle m'en a pas empêchée. À l'aube, je me suis installée au volant et j'ai démarré. Ça me gargouillait dans le ventre, je te jure, j'avais les mains qui tremblaient. J'ai roulé, longé la rivière et klaxonné, arrivée à la hauteur de Steve. Vu l'heure, personne ne pouvait m'entendre. Il a à peine tourné la tête avant de continuer ses petites affaires. J'ai fait demi-tour et j'ai de nouveau klaxonné. Quand il a reconnu l'auto de ton frère, ç'a dû l'inquiéter, le tirer de sa tranquillité. Il a aussitôt plié son matériel et, d'un pas pressé, il s'est pointé sur la piste. Je me suis mise en première et j'ai pesé sur le champignon. Il a bien essayé de m'éviter, mais je l'ai pris sur le côté, un choc assez puissant, et j'ai continué à rouler sur quelques mètres. Il rampait, je l'ai vu dans le rétroviseur, il essayait de se sauver sur le bas-côté. Je me suis mise en marche arrière et j'ai lâché les gaz, mais je l'ai raté, il avait déjà réussi à s'enfoncer dans le bois, à me filer entre les pattes. Je suis pas descendue pour vérifier, j'étais seulement déçue que tout se soit passé si vite. Cet imbécile était vivant et il m'avait vue, c'est à ça que j'ai pensé et c'est pour ça que j'ai dû planquer l'auto au lac. Je ne voulais pas causer de problème à Lilia et à son oncle. Je l'ai cachée dans le chemin des bûcherons et je suis revenue à pied au village, en passant par la colline. Je te dis pas l'angoisse le lendemain quand j'ai découvert la photo de Steve dans mon trou. J'ai eu peur, franchement, j'ai paniqué pendant deux jours. À tout moment, je m'attendais à ce qu'ils me tombent dessus, que tout recommence. Je me suis méfiée d'eux comme de la peste, surtout de Phil. Pour moi, c'était lui les photos, le lapin mort et les autres bestioles, toutes ces horreurs que t'avais photographiées, les vers et les mouches. J'y voyais une forme de sadisme, un autre chantage. Mais j'avais enclenché la machine et il était hors de question pour moi de l'arrêter. Pendant qu'ils le cherchaient, je suis remontée au cimetière. Tu y étais, Ray, tu dormais couché en boule contre une tombe. J'ai dû calmer Okko. Il gémissait et grondait en même temps qu'il tirait sur sa laisse. Je l'ai caressé tout en te regardant dormir. Un vrai bébé. Je t'ai recouvert les épaules de ta couverture et je suis retournée jouer au fossoyeur. Une autre photo m'attendait, avec tes mots: *Steve est mort, il ne parlera plus.* C'est là que je me suis doutée que c'était toi, pour les photos. Toi et ta façon de fouiner, de mitrailler à tour de bras. Par contre, que tu te sois enfoncé dans le bois pour retrouver ce salaud, ça m'a soufflée, pis je me suis dit que si t'avais été capable de le suivre à la trace, les autres allaient pas mettre plus longtemps. Je me trompais pas, ils l'ont repêché dans la journée. Et quand je dis repêché, c'est exactement ça. Ils l'ont fait tremper comme un vieux croûton de pain sec avant de le ramener, à croire qu'ils ne tenaient pas à ce que quelqu'un mette le nez dans leurs affaires. L'inspecteur n'y a vu que du feu, tu parles, un type pressé, juste bon à signer des formulaires. Mais le plus grave, c'est que Beef a appris le soir même où était l'auto de ton frère. Il fallait que je la change de place au plus vite, au moins pour un moment. Lilia est venue avec moi, le lendemain. En chemin, elle a essayé de me dissuader de continuer ma petite vengeance perso, elle m'a dit que je devais aller voir la police, m'expliquer. Je lui ai fait remarquer qu'il y avait déjà eu un mort et que la tombe du deuxième était prête. Comme elle insistait, à peine arrivée au lac, je me suis précipitée dans le chalet. Je l'ai entraînée avec moi, je la tenais par la main. J'ai ouvert la porte et je l'ai poussée en dedans. J'ai pointé le sol et je lui ai dit : « Tu vois les taches, là ? C'est du sang et du sperme, ma belle, le crisse de jus de ces types. Et tu veux que j'oublie, que j'aille pleurer ma peine sur l'épaule d'un poulet ? » J'ai laissé Lilia dans la pièce et je suis sortie. Je pouvais plus respirer, Ray, et, une fois à l'air libre, j'ai dégueulé mes tripes. J'ai vomi encore et encore, revivant ces instants qu'on voulait me forcer à oublier. Puis j'ai vu le canot bâché pour l'hiver, et j'ai pensé à Phil. Je me suis retournée, j'ai regardé le lac et j'ai su comment j'allais me débarrasser de lui. Quand Lilia est repartie, j'ai débâché le canot et je l'ai poussé au bord de l'eau. J'ai pas traîné ensuite, je me doutais que Beef allait venir faire son tour, vérifier si l'auto de ton frère était dans le coin. Je suis repartie au plus vite en direction du centre d'achats. Et j'ai acheté un sac, un bon sac de toile, et de la corde. Je tenais le sac et déjà je le voyais couler lentement, descendre vers les profondeurs en traînant derrière lui le corps de Phil. Le plus difficile a été de le remplir, de trouver assez de roches pour le bourrer à ras bord tout en restant capable de le soulever. Une fois fait, je l'ai laissé dans le coffre de l'auto que j'ai abandonnée dans le stationnement du centre d'achats. Qui aurait été la chercher là ? Personne, c'est ce que je me suis dit. Et je suis rentrée au village par la route en faisant du pouce. J'étais sûre que j'attendrais pas longtemps. Il y a toujours un taré prêt à t'embarquer, un type qui fantasme juste à te voir au bord de la route et qui pense que tout peut arriver. J'ai eu de la chance, la première auto a été la bonne, un type bien qui m'a déposée au bout de la piste. Ensuite, j'ai marché et je me suis juste arrêtée un instant à l'endroit où j'avais frappé Steve. Je me demandais si j'allais réagir, éprouver quelque chose qui me pousserait à continuer. Et ce que j'ai ressenti, c'est une violente envie que ça prenne plus de temps pour Phil, que j'aie au moins la satisfaction de lire un peu de peur dans ses yeux. J'ai dû attendre pour ça, je me suis même demandé si jamais je vivrais ce moment. Il est pourtant arrivé, au cimetière. Le jour de l'enterrement, cet enculé m'a approchée et m'a demandé si ça me tentait de remettre ça, qu'il me paierait si je le désirais. Merde, à croire qu'il me faisait l'aumône ou qu'il croyait que j'avais pris un méchant plaisir à le sucer ! J'ai rien répondu, j'ai attendu un peu, le temps de digérer ce qu'il venait de dire, j'avais surtout envie de lui donner un bon coup pied dans les parties. Puis, le temps que le curé parle, dise à tous combien le défunt serait regretté par la communauté, je me suis dit que c'était l'occasion ou jamais, que je devais en profiter sans attendre, que je n'avais plus le choix de lui proposer quelque chose. Tu m'emmènes boire un verre ailleurs qu'au village et on en reparle, que je lui ai dit en regardant ailleurs. Dans deux jours, j'ai rajouté, comme s'il ne m'avait pas vraiment comprise, pendant ma journée de repos. Il en revenait pas, je te jure, et il aurait presque engagé une conversation si ta mère n'avait pas voulu me parler. À elle, quand elle m'a posé des questions sur ton frère, j'ai pas su quoi répondre, j'avais pas la tête à ça, puis qu'est-ce que j'aurais pu dire, hein ? J'ai pas vraiment dormi les heures suivantes, je me demandais si j'allais y arriver, pouvoir jouer la comédie et lui régler son compte. Deux jours, ça peut être long. Et ils ont été longs. J'arrivais plus à me concentrer, j'avais de la misère à tenir les choses tellement mes doigts tremblaient. Et de voir Phil, assis avec les autres, de savoir qu'il attendait son moment, de penser à l'instant où il pourrait reposer sa main sur moi, c'était comme une torture, Ray, ça se dit pas. Puis ce jour est arrivé, Phil a klaxonné en bas de l'appart et je suis descendue le retrouver. Il faisait chaud, mais ça, tu le sais, une belle journée, avec un soleil brûlant. J'ai pensé que c'était un beau jour pour mourir, bien trop beau pour Phil, et je l'ai regardé droit dans les yeux, je lui ai décroché mon plus beau sourire. Il avait déjà bu, juste un peu, histoire de se donner une contenance, je suppose. Il m'a demandé où je voulais aller. Au centre d'achats, j'ai répondu, on pourrait boire un verre, acheter de l'alcool et faire une balade au lac. Le plan, mon plan, trois étapes nécessaires avant de lui enfoncer la tête sous l'eau. Il en bavait, tout excité à l'idée de ce qui devait se passer, mais il se trompait salement. J'ai sorti une flasque d'alcool et je la lui ai tendue. Je comptais les gorgées, Ray, chacune d'elles était importante, chacune m'éloignait de ce type et me rapprochait de la fin que j'avais envisagée. Je l'ai soûlé un peu plus au bar du centre d'achats, du scotch, plusieurs verres, puis je l'ai laissé ancré au comptoir pour aller acheter ma bouteille. Ensuite, j'ai vérifié ma corde, mon sac chargé de roches, et j'ai pris le volant de l'auto de Zeb. Je me suis garée devant le bar et je suis allée voir où il en était. Pis je lui ai suggéré de faire une course, une course jusqu'au lac. J'ai dit : « Le dernier premier arrivé fait ce qu'il veut de l'autre. » Il en bavait, Ray, tellement qu'il en était écœurant. Je crois que si j'avais eu le revolver sur moi, je le lui aurais immédiatement planté au milieu du front avant de presser la détente avec plaisir. Ç'aurait été une jouissance, tu peux me croire, une vraie jouissance.

Il n'a rien dit quand il a vu la bagnole de Zeb. Tout ça lui semblait normal, que je lui parle et que je veuille lui ouvrir mes cuisses. Juste avant de partir, j'ai lancé ma bouteille dans l'auto, à la place du mort, histoire qu'il en boive encore un coup avant d'arriver au lac. Pour le reste, t'es déjà au courant, t'as tout vu. J'ai gagné la course et j'ai eu ben de la misère à le tirer jusqu'au lac, j'ai même pensé que j'y arriverais pas. Alors maintenant, Ray, maintenant que tu sais tout, tu vas retourner chez vous, chez tes parents, et tu vas m'oublier. Il me reste encore un trou à creuser et personne pourra m'en empêcher. Personne, tu m'entends? Je veux plus te voir. Pis, avant que tu partes, je vais te dire une dernière chose, Ray. Si jamais ton frère revient ici, si jamais il…

LE TROISIÈME HOMME

1

Quand la porte d'entrée s'ouvre à la volée, Lou se tait aussitôt. Joues en feu, Lilia vient de se précipiter dans l'appartement. Elle semble avoir le diable aux fesses. Me voyant, elle renverse une chaise et se jette à mes pieds.

— Ray…, elle dit.

Elle est à bout de souffle, au bord de l'asphyxie, et tente, une main sur la poitrine, de reprendre sa respiration.

— On te cherche, elle finit par articuler. Tout le monde te cherche.

Je sais, j'ai envie de répondre. J'ai aussi envie de dire que j'aurais pu tout empêcher. Mais j'évite ses yeux et baisse le regard. Je ne veux rien entendre et surtout pas la suivre chez nous, découvrir avec elle le cadavre de mon père allongé dans la cuisine, voir ma mère pleurer. Et je fixe mes souliers, attends les mots définitifs, ceux qui vont surgir et briser l'instant. Lilia va les prononcer, elle n'a pas d'autre choix, elle va les dire tout bas, à peine me les souffler à l'oreille.

— Ton père, elle murmure. Il te cherche, Ray. Ta mère est morte.

Ma mère…

Tout bascule. Je me sens emporté, balayé par un courant giratoire, une force inconnue qui m'aspire et me broie en même temps. Le tourbillon m'entraîne, happe mon corps que des mains volontaires cherchent à retenir. Lou ou Lilia, l'une des deux, ou les deux à la fois. Elles me parlent, me caressent le visage, m'obligent aussi à me lever, me guident vers la porte. J'exécute ces mouvements, les jambes flageolantes et la vue brouillée, avance à petits pas.

Une fois dehors, ébloui par les phares, je me cache le visage. Plusieurs personnes sont là et mon père est au milieu de la chaussée. Il a bu et il titube, me pointe du doigt dès qu'il m'aperçoit.

— Qu'est-ce que t'as fait, Ray? Qu'est-ce que t'as fait? il bafouille. Elle est morte. Tu comprends?

Il perd l'équilibre et Chad se rue vers lui pour le rattraper. Il l'enlace de justesse et l'entraîne dans un ridicule pas de danse.

— Pourquoi, Ray? sanglote mon père contre l'épaule de Chad. Pourquoi?

Je m'approche et me méfie, me demande de quoi il m'accuse.

— Grouille, Ray. Ton paternel a besoin de toi. On t'attend à la maison. Envoye, embarque dans le char. Dépêche-toi! gueule Chad avant de m'ignorer et de soutenir mon père jusqu'à l'auto.

Sans demander d'explications je marche jusqu'à la portière ouverte et m'assois sur la banquette arrière. Je me demande ce que j'ai fait, pourquoi on me regarde ainsi. Je m'étonne de tous ces regards et les observe à mon tour. Je m'arrête sur celui de Beef, devine un léger rictus sur ses lèvres.

— Tu pensais à quoi, Ray? me questionne Chad au même instant.

Agrippé au volant, il se retourne et m'examine alors que mon père se débat dans sa ceinture de sécurité. Je serre les dents et reste muré dans mon silence. Comme je ne réponds pas, il démarre et appuie sur l'accélérateur, me surveille tout au long du trajet, jette régulièrement des coups d'œil dans son rétroviseur, me considère avec autant de sympathie qu'un insecte rampant, une vermine qu'on aurait dû écraser depuis longtemps. Mon père, lui, se tait et boit de petites gorgées pour tenir le coup. Il a décapsulé une bière – ce n'est pas la première – et il la termine en chemin, la jette par sa vitre ouverte juste avant d'arriver à la baraque.

— Toi, tu restes assis là, m'ordonne Chad en coupant le moteur.

Il claque sa portière et vient au-devant de mon père qui a du mal à sortir du véhicule. Ils sont comme un couple mal assorti, deux guignols qui se dirigent chancelants vers les voitures de police stationnées devant la maison. Je reste assis comme on me l'a ordonné, les perds de vue au milieu de la foule, ne distingue bientôt plus qu'un jeu d'ombres, un théâtre flou de silhouettes gesticulantes, de pantins éclairés en alternance par les gyrophares rouges. Puis, n'y tenant plus, j'ouvre ma portière et pose un pied sur le sol. Je dois savoir pourquoi on me traite ainsi, et je les rejoins, les dépasse, m'approche de la maison. Un ruban jaune m'empêche d'aller plus loin et un type en uniforme me repousse. Mais je la vois, la devine allongée sur le carrelage. Quelqu'un la photographie. Un flash, un deuxième, et une autre lumière qui éclate dans ma tête quand une main ferme s'accroche à mon épaule et m'oblige à exécuter un demi-tour.

— Faut pas rester là.

C'est l'inspecteur, celui qui est venu pour Steve, l'homme aux lèvres épaisses. Il porte le même costume gris, la même cravate. Sa main glisse de mon épaule et remonte sur ma nuque. Elle est froide et me tire à l'écart. Je ne résiste pas, me laisse mener comme on mène un veau à l'abattoir, et je vais où l'inspecteur me pousse. Il m'éloigne lentement de la maison, de ces voix jetées dans la nuit, de la valse monotone des gyrophares. Et je marche jusqu'à ce que le silence m'emprisonne, rende palpable le crissement du gravier sous mes pas, le vacarme incessant des grenouilles alentour. Nous continuons. Sa main quitte ma nuque. Je suis libre d'aller où je veux, et je descends vers la plage, continue à marcher, ne m'arrête que lorsque j'aperçois les bouées alignées à l'horizon, ces autres lumières dispersées dans le vide. La mer, le bruit des vagues et ce point à l'infini, cette ville, toujours la même et toujours plus à l'est. Je prononce son nom tout bas, articule les quatre syllabes.

— Yokosuka, je dis.

Et je pense à mon frère, à ce que Lou a dit de moi. Juste un débile, un raté. Quand la main de l'inspecteur se repose sur ma nuque, j'ai soudain plus froid et me mets à frissonner.

— Tu peux me dire ce qui s'est passé?

Je ne sais que répondre. J'imagine qu'à l'ultime seconde, ma mère a voulu faire dévier le coup et que la balle l'a touchée, que mon père, trop soûl, l'a regardée s'écrouler pour s'étonner seulement ensuite. Je me contente de ces images, les laisse défiler en boucle dans la tête, me les passe immédiatement au ralenti. Et je parle de Zeb, de son départ, de l'angoisse de ma mère. Je raconte à l'inspecteur l'ambiance pesante et le garage qui se meurt.

— Ray, ton père m'a déjà dit tout ça. Je veux que tu me parles de l'arme, que tu me dises exactement ce que tu as fait avec.

Je n'ai rien fait. Jamais je n'ai touché à ce revolver, ou seulement une ou deux fois, pas plus. J'étais dehors, me bouchais les oreilles, ne voulais surtout pas entendre la détonation. C'est ce que j'essaie de dire. J'ouvre la bouche, puis la referme, cherche mes mots dans la nuit, les yeux de l'inspecteur que je devine à peine.

— La carabine, Ray. Est-ce qu'elle était chargée?

Sa question me foudroie et mes forces m'abandonnent. La carabine, pas le revolver. Je tombe à genoux sur le sable, me recroqueville. Tout me revient soudain en mémoire, pareil à un long *flash-back* en noir et blanc. Je me revois déposer la carabine sur la table, me rappelle mon père et ma mère, le chien que je viens d'attacher et qui gémit au bout de sa chaîne, le verre d'eau que je remplis et que je porte à mes lèvres, la porte que je claque pour me réfugier sous les étoiles. Et j'entends à nouveau le coup de feu. Le reste, je le devine, me l'invente. La balle qui traverse la gorge ou le menton de ma mère, sa tête propulsée en arrière, la chair éclatée, les os brisés, son gros orteil comme un index posé sur la détente.

— Relève-toi, viens. On va retourner à l'auto.

Il me tire à lui, me soulève et me prend dans ses bras, me porte ainsi jusqu'au premier lampadaire.

— Tu peux marcher?

Je peux mais ne veux pas retourner vers la maison. Il m'y oblige pourtant, toujours avec cette main posée sur ma nuque. Elle est plus chaude, m'aide à parler.

— Je suis allé à la chasse, je dis.

Et tout se mélange à nouveau. Ce que j'ai vu et ce que Lou a fait. Je n'avoue pas la vraie raison de ma présence au lac, je ne parle que d'un animal que je voulais tuer, de mon désir de jouer au grand, de ressembler à mon frère. Et je dis la cartouche engagée dans la culasse, l'oubli ensuite, le retour et l'engueulade.

Arrivé à sa voiture, il me fait répéter chacune de mes phrases, en note des bouts sur un carnet, écrit vite, sans application, relit ma déposition à la lueur bleutée de son plafonnier. Une ambulance a remplacé les voitures de police, et les badauds, moins nombreux, commencent à s'éparpiller.

— Je suis obligé d'emmener ta mère, tu comprends?

Une autopsie, ce qu'il aurait dû faire pour Steve. Et j'imagine ma mère nue sur une table en inox, son corps manipulé, découpé.

— Ça ne prendra qu'un jour ou deux, mais c'est la loi, j'ai pas le choix. Bon, tu vas aller rejoindre ton père maintenant, il t'attend. Bonne chance.

Quitter la voiture et retrouver mon père me fait peur. Je descends pourtant du véhicule et marche jusqu'à la maison. Mon père me barre aussitôt la route.

— Pas chez nous, pas ce soir. Plus tard, il dit.

C'est à son tour de me guider, de m'attraper par la nuque. Et il me conduit vers le garage où il a installé son lit de camp.

— Tu vas dormir ici, OK?

— Je...

— C'est pas ta faute, Ray. Excuse-moi pour tout à l'heure. J'étais en colère, contre toi, contre tout. Je sais pas ce qui m'a pris, je voulais pas dire ça, te montrer du doigt.

— Maman…

— Tais-toi, Ray. Elle l'aurait fait. Un jour ou l'autre, elle l'aurait fait. Elle l'aurait quand même fait. Faut essayer de dormir, maintenant. De te reposer, OK?

Et pour la première fois depuis longtemps, il me serre contre lui. Je reconnais aussitôt ce mélange de sueur et de cambouis, une odeur qui me rassure, et je me laisse aller, je pleure et me blottis au plus profond de sa chair.

2

Je me réveille abruti de sommeil. Au petit matin ou tard dans la nuit, mon père m'a glissé un somnifère entre les lèvres. Tu dormiras, il a dit. Puis, assis sur une chaise, il a veillé, guetté ma respiration, attendu qu'elle devienne plus régulière pour me lâcher la main.

J'ouvre les yeux et il n'est plus là.

J'ai chaud, ne supporte plus la couverture qu'il m'a jetée sur les épaules. Je me lève et sors du garage. Le ciel, d'un blanc éclatant, m'aveugle et m'oblige à reculer, à me réfugier à l'ombre. Je déglutis, combats un vertige. Boire, au moins avaler une gorgée d'eau. Je fixe la baraque, évalue la distance qui m'en sépare et me sens aussi à l'aise qu'un funambule sur une corde raide. Juste faire un pas. Mon corps se raidit et refuse d'obéir. Je renonce, regarde la maison comme un lointain souvenir et la découvre sous un jour nouveau. Un taudis, rien de plus, un vulgaire assemblage de planches disjointes et clouées à la va-vite. La peinture, si elle n'a pas disparu, s'écaille par endroits, tandis qu'à l'étage une vitre a été remplacée par un carton d'emballage. La cour est jonchée de carcasses rouillées, de pièces de moteur, de bidons d'huile et de canettes de bière, de morceaux de ferraille dispersés au hasard des mauvaises herbes. Et le chien ajoute au décor. Flancs creux et poil souillé, il tire sur sa chaîne et s'étrangle en tentant d'atteindre une gamelle hors de portée. Je le siffle. Il relève le museau, dresse les oreilles et jappe après moi. Presque un encouragement. Et j'avance, marche lentement sur mon câble, sais exactement quand la chute se produira. Je n'ai pas dix enjambées à faire avant de tomber. Je transpire, écoute mon cœur battre dans ma poitrine, m'attends à ressentir une brûlure à l'instant où je vais poser la main sur la porte. Je compte jusqu'à trois, retiens mon souffle et l'ouvre en grand.

Le choc est immédiat. Je m'immobilise.

Tout a été récuré, nettoyé à grande eau, et il flotte encore dans la cuisine une forte odeur de détergent. J'inspecte la pièce du sol au plafond, cherche la moindre particule de sang que l'on n'aurait pas effacée. Les murs ont tellement été frottés qu'ils en sont délavés, que de grands cercles ont été tracés sur la couleur d'origine. J'entre dans la maison, évite, sur le plancher, un espace trop astiqué et me dirige vers le frigo. J'en sors la bouteille de lait et en avale plus de la moitié. Je mange, croque, mâche tout ce qui me tombe sous la main, me remplis au plus vite pour oublier ces cercles concentriques qui me rappellent ma mère, continue à m'empiffrer jusqu'à ce que mon estomac se révulse. Et je me plie en deux, vomis à l'endroit où ma mère est tombée, et je reste ainsi presque couché sur la surface qu'un instant plus tôt j'ai enjambée. D'elle, il ne reste plus qu'une trace encore humide sur le sol. Je ne bouge plus, respire à peine, effleure les lattes du plancher du bout des doigts et me perds dans le silence. Puis, comme la douleur m'avait abandonné, elle ressurgit soudain, me vrille les boyaux et me sort de la poitrine avec une espèce de cri inhumain. J'appelle ma mère, murmure son prénom, la supplie, lui demande pardon, sanglote longtemps avant de refermer la bouche sur un dernier râle. Je me calme ensuite, me relève et fouille dans les placards. Un seau, la moppe, et sûrement le même détergent qui a déjà servi. Et je frotte, passe et repasse l'éponge où ma mère s'est affalée, cherche sur la table et les chaises la moindre trace de sang séché. J'essaie aussi de faire disparaître des murs les taches trop claires, lave la cuisine dans tous ses recoins, oublie le temps, la nuit qui tombe, et me retrouve torse nu dans une quasi-obscurité, le tee-shirt tirebouchonné à la main quand mon père me surprend.

— Qu'est-ce que tu fous, Ray?

Il allume et me dévisage. Il n'est pas seul. Chad et Martin lui emboîtent le pas. Ils portent chacun une caisse de bière qu'ils déposent sur la table de la cuisine.

— Tu ferais mieux d'oublier tout ça, dit Chad en me bousculant pour accéder au frigo.

Mon père ramasse le seau et la moppe, puis s'approche de moi. Il hésite, cherche des mots qu'il n'a pas l'habitude de prononcer, ouvre la bouche et soupire. Comme il va me poser une main sur l'épaule, je lui fais signe de laisser tomber et me réfugie à l'étage. Je n'ai rien à faire sinon changer de vêtements, m'allonger sur le lit et fixer les négatifs qui pendouillent sur la corde à linge, le visage de Lou que j'ai punaisé au mur, mon frère à côté de son auto. Le passé, un autre monde. Et je reste là sans bouger, tente de saisir des bribes de conversation, guette aussi les rires qui risquent de fuser. Mais ils se parlent à voix basse, comme s'ils étaient à l'affût, le fusil pointé sur un chevreuil. Juste le son de leurs paroles est réconfortant. Ils aident comme ils peuvent, donnent à mon père un peu d'espoir entre deux gorgées d'alcool.

Ces amis, son seul soutien, peut-être des moins que rien, mais avec des mains tendues, des mains pour l'empêcher de tomber plus bas. Au bout d'un moment, je me décide à les retrouver. Ils se taisent en me voyant, attendent un instant puis reprennent leur conversation, m'acceptent comme si j'étais l'un des leurs, comme si j'avais aussi un mot à dire sur la suite des événements. Je m'accote à l'évier et les écoute, reste les bras croisés et refuse la bière que Chad me tend d'un sourire coincé.

— On est là pour aider, Ray, juste ça, il dit en reposant la bière sur la table. On sait que c'est dur pour toi et ton père, mais la vie est pas toujours facile. Fait que, si on peut faire quelque chose, ce sera avec plaisir.

Je le dévisage, lui en veux toujours de cette façon qu'il a eue de m'épingler dans la voiture, puis je me retourne vers Martin. Depuis que j'ai mis les pieds dans la cuisine, il est silencieux, presque absent, et il déchiquette avec attention l'étiquette de sa bouteille de bière, en gratte les dernières particules d'un ongle jauni par la nicotine. Je pense à Lou, aux doigts inconnus qui ont violé et fouillé son intimité, se sont enfoncés au plus profond d'elle. Qui de l'un ou de l'autre est le troisième homme? Qui des deux sera couché dans le dernier trou?

— Et toi, qu'est-ce que t'en dis? me demande mon père.

— Hein? je réponds.

— Laisse-le, tu vois bien qu'il est dans la lune, fait Chad en allumant une cigarette.

— Non, j'ai pas entendu, c'est tout.

— La famille, dit Martin. C'est ce que je disais avant que tu descendes, il ajoute en me regardant droit dans les yeux. Il faut les avertir. Leur dire ce qui est arrivé, c'est la moindre des choses, enfin, me semble. Et comme t'es là, autant avoir ton avis.

Je hausse les épaules. De la famille, je n'ai jamais vu que de vieilles photographies. Ma mère ailleurs, petite fille, un bonnet enfoncé jusqu'aux oreilles, droite comme un *i* sur un banc de neige, entourée de ses frères et sœurs, une ribambelle d'enfants aux joues rouges cernés par deux vieux, des parents éloignés, des gens du nord, plus au nord que chez nous, foreurs ou ouvriers du pétrole, fumant la pipe devant une maison mobile plantée au milieu d'un paysage de plateformes et d'icebergs, bordé par une mer trop grise, étendue à l'infini et écrasée par un épais brouillard. Une femme aussi, blonde, sa mère, ma grand-mère, morte depuis toujours. Et d'autres photos, des clichés sépia, des cousins, des gens oubliés, des étrangers, juste des inconnus. Pour moi, la seule personne qui mériterait d'être prévenue est partie sans laisser d'adresse, montée le matin d'une nuit d'enfer dans un autobus, le visage esquinté et les os des mains brisés. Pour éviter de prononcer le prénom de mon frère, je saisis la bouteille de bière et la porte à mes lèvres.

— Il y a bien quelqu'un, dit mon père.

— Qui? demande Chad.

— Un frère à elle. Elle l'aimait bien, l'a pas revu depuis une éternité. Faudrait que je lui téléphone.

Il se lève, fouille dans un tiroir et en ressort un vieux carnet d'adresses. Puis, après en avoir tourné les pages, il compose un numéro. Le silence est tel qu'on entend la sonnerie à l'autre bout, une voix qui répond.

— C'est pour ta sœur, fait mon père au téléphone.

Il explique, raconte la carabine, le geste désespéré de ma mère, répond à des questions, dit qu'il n'avait pas pensé à ça, remercie et raccroche. Juste avant de s'asseoir, il sort une bouteille de scotch et trois verres d'une armoire.

— Un avis de décès. Il m'a dit qu'il fallait au moins écrire quelque chose dans le journal. Comme ça, ceux qui le veulent pourront venir à l'enterrement.

La bouteille bascule dans les verres et mon père vide le sien au plus vite.

— Comment je vais faire? il dit en se resservant. La messe, les gens, tout ça? Hein? Comment je vais faire, moi? Je suis tout seul maintenant.

— T'as juste à appeler au salon funéraire. Ils vont s'occuper de tout ça. Ils vont même mettre l'annonce dans le journal. T'as juste à leur dire quoi écrire.

D'entendre ces mots, j'ai l'impression que la pièce se rétrécit et qu'il n'y aura bientôt plus assez d'air pour respirer. Je sors, essaie de reprendre mon souffle, les laisse s'organiser comme ils le veulent avec les restes de ma mère, ce qu'il faut faire ou ne pas faire, ce qu'il y a à payer. Et je m'assois à côté du chien, me colle contre lui, cherche la chaleur d'un corps, attends peut-être que mon père me rattrape et me serre à nouveau dans ses bras. Mais rien ne bouge dans la baraque. Ils boivent, culbutent la bouteille, s'autorisent sûrement à la torcher jusqu'à la dernière goutte. Ce n'est que plus tard que j'entends Chad et Martin sortir de la maison. Je ne distingue que leurs cigarettes dans la nuit, deux points incandescents qui flottent dans le vide. Ils sont soûls et doivent déjà avoir bordé mon père. Au bout de quelques pas, ils se débraguettent et pissent au beau milieu de la cour.

— Qu'est-ce que t'en penses, toi?

— De quoi? demande Martin en arrosant les mauvaises herbes.

— Ben, de tout ça.

— Sais pas. Mais j'en connais un qui va l'apprendre, d'une manière ou d'une autre.

— Zeb, hein?

— Ouais. Ici, les nouvelles vont vite.

— Sa mère… t'imagines? Il va pas aimer ça, tu peux être certain.

3

Deux jours, avait dit l'inspecteur.

Ils ont appelé le troisième jour pour dire qu'ils livreraient sa dépouille, c'est le mot qu'ils ont employé, au salon funéraire, que le cercueil serait scellé et qu'il vaudrait mieux ne pas l'ouvrir. Les curieux défilent dans la maison. Ils viennent vérifier que le drame a bien eu lieu dans la cuisine. Ils se suivent et se faufilent, inspectent les murs de la pièce ou avancent à pas feutrés, déposent sur le comptoir des contenants remplis de nourriture, des tourtières ou des salades, des patates, un peu comme si le malheur nous avait affamés, qu'il ne nous restait plus qu'à bouffer pour oublier.

Lou aussi passe.

Elle franchit le seuil de la baraque en fin d'après-midi et tend aussitôt à mon père une bouteille d'alcool, cadeau de Beef, sa manière bien à lui de présenter ses condoléances. Elle reste ensuite plantée là, doigts entortillés et sourire en grimace, demande à voix basse si elle peut aider.

Elle est belle, plus belle que dans tous mes rêves, plus belle qu'au lac, et j'aime sa façon de replacer derrière son oreille une mèche de cheveux qui pendouille devant ses yeux. Je l'observe, l'écoute parler, me doute aussi qu'elle n'est venue que pour Zeb. Je recule, m'assois sur les premières marches de l'escalier et allume une cigarette. Je profite du spectacle, attends presque le rayon de soleil qui pourrait enflammer la scène, rendre les personnages plus attrayants, moins pathétiques. Elle, la menteuse, et lui, le vieil alcoolique. Elle pense peut-être que mon frère surgira à l'instant propice, apparaîtra au son de la première pelletée de terre balancée sur le cercueil, réglera ses comptes ensuite, fera bouffer à Beef l'argent qu'il lui doit. Des conneries. Mon père lui demande si elle veut bien s'occuper des arrangements funéraires. Elle accepte, appelle aussitôt le salon. Elle fait de notre malheur son seul espoir. J'ai envie de gueuler, de lui crier aux oreilles qu'elle pourrait elle-même creuser la fosse, qu'elle y est habituée, que ce ne serait pas la première fois. Mais je me tais, détourne les yeux et ne m'occupe plus que du va-et-vient qui ne cesse dans la cuisine, de ces gens attentionnés qui laissent des Tupperware, emplissent le réfrigérateur et s'enfuient sur la pointe des pieds. Je surveille la porte, guette l'arrivée de Chad ou de Martin, me doute bien que l'un des deux va finir par se pointer et renvoyer Lou à ses occupations. Juste un débile, un gamin à qui il manque une case. Les mots qu'elle m'a sortis me résonnent encore au fond du cerveau et je hais d'autant plus mon frère, cette façon qu'il a eue de me tenir à distance, de me faire croire qu'un jour il m'emmènerait, un jeu qu'il a joué avec elle. J'allume une autre cigarette et me lève. À l'instant où je décide de sortir de la maison, Chad en pousse la porte.

— Ça va, toi ? Et ton père ?

Je réponds d'un signe de tête et continue sur ma lancée. Le diable entré, la belle devrait s'enfuir. Une fois dehors, je m'adosse au mur du garage et attends. Elle sort immédiatement, marche au plus vite pour disparaître.

Je lui emboîte le pas, la rattrape et lui jette au visage ce que j'ai sur le cœur.

— T'aides seulement pour sauver ta peau, hein, c'est ça?

— Qu'est-ce qui te prend, Ray?

— T'es comme les autres.

— Les autres?

— Chad et Martin. T'es comme eux, tu espères son retour, mais pas pour les mêmes raisons. Toi, tu le veux pour toi toute seule. Mais il reviendra pas, il sera pas là pour ma mère. Il est pas assez con pour retomber entre les pattes de Beef.

Je dis ça pour la blesser, lui faire mal. J'aimerais la voir pleurer.

— Non, Ray, il sera pas là pour ta mère, on le verra pas à l'enterrement. Mais oui, il va revenir. Ça, je peux te l'assurer. Et tu peux le crier sur tous les toits, le répéter à qui veut l'entendre. Il va revenir, oui, mais pour moi, Ray, juste pour moi. Et tu veux que je te dise? C'est avec moi qu'il va partir. On va s'arracher pour de bon de ce foutu trou. Et sans toi, sans ton autorisation.

— Ah, oui? Et comment tu peux savoir qu'il va revenir?

— Parce que j'y ai parlé hier, Ray. Au téléphone. Tu sais, la patente avec un fil.

Elle me sourit en disant ça, me balance sa réponse dans les dents comme un uppercut, attend simplement que je tombe K.-O., que je m'écroule devant elle.

— Et si j'aide ton père, c'est juste parce que Zeb me l'a demandé. Qu'il savait bien que t'en étais pas capable. Juste ça, Ray.

Je n'ai pas la force de tenir le second round et je baisse les bras, la regarde s'éloigner sans essayer de la retenir. J'ai perdu, tout perdu. J'écrase mon mégot et entre dans le garage, donne un coup de pied dans le premier truc qui se trouve à ma portée. Je cherche son sac, sa maison d'escargot, comme il disait. Je fouille, renverse des étagères, le trouve enfin sous l'établi. S'ils veulent partir, je vais aussi partir, c'est ce que je me dis. Et ce ne sera pas pour recommencer à zéro, je n'ai pas l'âge de recommencer à zéro, à mon âge on est zéro, rien du tout, ils me l'ont assez prouvé. Mais avant, juste avant de jeter son fichu sac sur mon épaule, je veux le revoir une dernière fois, lui dire tout bas le nom de cette ville, le prononcer et lui cracher au visage ces quatre syllabes qu'il m'a tant forcé à répéter, un mot qu'il retiendra toujours, où qu'il soit, avec ou sans Lou. Juste le souvenir de son taré de petit frère, cette marionnette si facile à manipuler.

— À l'est, Ray, plus à l'est, Ray, je murmure à voix basse.

4

Beef s'impatiente et klaxonne.

— Dépêche, je dis à mon père.

Il fait nuit depuis longtemps et j'ai du mal à le secouer. Il a bu, vidé plusieurs bières et déjà bien entamé sa bouteille d'alcool. Il confond tout, ma mère et l'enfant, me parle du camion, des freins qui n'auraient pas dû lâcher. Du délire. Il invente n'importe quoi, le choc et le dérapage, la plaque de glace, le ballon rouge qui s'envole ensuite, s'évanouit dans le ciel.

— C'était son âme, Ray. Ce ballon, c'était ça. C'était l'âme de cet enfant, tu comprends? Une petite chose qui disparaît, comme ça, il ajoute en claquant des doigts. Et à cause de qui? De moi, Ray. Juste à cause de moi, comme pour ta mère.

Il n'y avait aucun ballon ni encore moins de glace. Zeb m'a déjà tout raconté. C'était l'été, les vitres ouvertes, un vendredi soir à la sortie du centre d'achats, des paquets sur le siège du passager.

— Ma faute depuis toujours, Ray. Sans cet accident, je ne serais pas devenu celui que je suis aujourd'hui. Une loque, rien de plus. Tu comprends? J'ai envie d'être seul, maintenant. J'ai envie de disparaître, de m'enfoncer à jamais sous terre, de suivre ta mère en enfer. Qui pourra un jour me pardonner, Ray? Qui pourra me pardonner d'avoir abandonné les miens? Hein?! Qui pourra?! Dieu? C'est la seule question, la seule maudite question.

Je lui prends la main et la serre dans la mienne, lui répète que Beef nous attend, qu'il faut y aller maintenant. Il se lève et s'accroche à moi, pèse de tout son poids. J'arrive tant bien que mal à le sortir de la baraque et à le faire grimper dans le pick-up. Je lui allume une cigarette dès qu'il est assis.

— C'était quoi, l'idée? Me faire chier avec ça? lâche Beef en appuyant sur l'accélérateur.

Le pick-up bondit et je me cogne la tête contre le pare-brise.

— Chad devait venir nous chercher, je dis. Mais ils ont trop bu et il est pas mieux que mon père.

— Je parle pas de ça! Je parle du bar. On m'a même pas prévenu, moi!

— Une idée de Lou, je réponds. Elle a pensé que c'était une bonne idée d'inviter les gens du village au bar, après le service, que ce serait mieux que de retourner au salon funéraire. À cause de lui, j'ajoute en désignant mon père du menton.

— C'est mon bar. C'est à moi de prendre les décisions. C'est ma responsabilité. Crisse, elle va m'entendre, celle-là. Pis enlève-lui cette cigarette des doigts. Il va réussir à me brûler les sièges.

Je reprends la cigarette des doigts de mon père, en tire deux bouffées et l'écrase vite fait dans le cendrier. Ensuite, je regarde droit devant et je m'accroche, n'ose plus rien dire. Il conduit trop vite, ralentit à peine en arrivant devant le salon.

— Ton paternel. J'imagine qu'il est pas vraiment en état de tout comprendre, hein?

— Ben... Je crois pas, non...

— Bon, ben, bon courage. Et toutes mes condoléances. Tu vas lui dire, hein? Là, j'ai pas le temps de m'attarder. Du monde à voir, je vais être absent quelques jours.

Il est habillé pour sortir. Chemise propre et pantalon noir, une cravate de circonstance. Je me demande ce qu'il a bien pu foutre de son mouchoir.

— Tu vas lui dire?

Je reste enfermé dans mon silence, regarde le paysage derrière la vitre, pense à elle, ma mère.

— T'as entendu ce que je t'ai dit, Ray? Réponds, merde, dis quelque chose!

— Oui, je fais avant d'ouvrir la portière. Oui, je lui dirai.

Une fois sauté en bas du pick-up, je tends une main à mon père et l'aide à descendre.

Je remercie Beef et retiens mon père qui oscille d'avant en arrière. Je suis surpris du nombre d'autos, m'étonne que tant de gens soient venus pour ma mère. J'entre au salon, un bras passé autour de la taille de mon père, et entends des chuchotements sur notre passage. Il y a peut-être une quinzaine de personnes qui nous regardent. Je laisse quelqu'un s'occuper de mon père et je m'approche du cercueil, le touche du bout des doigts.

Je retiens difficilement mes sanglots. J'ai du mal à imaginer ma mère couchée dans cette boîte, me demande dans quel état elle est. Ma tête s'emballe, mais je refuse de l'imaginer, me dis que s'ils l'ont soustraite à notre vue, il y a une raison. Je respire lentement, essaie de me calmer, remarque… Je remarque les fleurs dans les vases, des marguerites et des tournesols, des coquelicots déjà flétris. Je pense aux lèvres rouges des geishas et serre une première main, puis une autre. Bientôt je ne fais plus que serrer des mains en bredouillant quelques remerciements.

— Je dois parler à ton père pour l'enterrement.

Le curé s'est déplacé et il me postillonne des miettes de biscuit au visage. Lou s'en occupe, elle l'entraîne à l'écart, décide une nouvelle fois de ce qu'il y a à décider. Attendre. Je n'ai que ça à faire. Attendre l'enterrement et attendre le retour de mon frère.

— Il faudrait que tu choisisses un passage dans la Bible, elle me dit plus tard.

Elle tourne les pages et me conseille. Je l'écoute autrement, ne suis plus assis sur les marches à me moquer ou à la juger, et j'entends à travers le son de sa voix celle de Zeb, me rends compte que ce ne sont plus vraiment des mensonges, que c'est lui qui est là pour notre mère, qu'il s'en occupe à travers Lou. Quand je n'en peux plus, je sors et lève la tête vers les étoiles.

«Ray, ces étoiles, disait mon frère, elles brillent aussi en plein jour.»

Le lendemain matin, je monte au cimetière et, assis sur le muret, je compte les heures, me transforme en statue de sel. Le soleil chauffe comme jamais, me brûle la peau. Pour un peu on se croirait au cœur de l'été, en juillet. Mais je ne bouge pas, refuse l'ombre et respire à peine, laisse la sueur se mélanger à mes larmes. Je guette, scrute la piste, ne chasse ni les mouches noires ni les moustiques, ne cherche qu'à le deviner à l'horizon, lui et sa démarche, sa jambe raide gouvernant son trop long corps. Mais il n'apparaît pas, jamais, et je continue à guetter, à me crever les yeux sur ce ruban de poussière qui conduit à la grand-route. Je deviens une sentinelle immobile, un intrus parmi les morts. Je ne me suis même pas rendu compte qu'on avait creusé un trou. Je tombe dessus en redescendant au village, remarque le monticule de terre retournée au milieu des tombes. Je m'approche. La fosse est profonde, bien délimitée, plus achevée que les deux trous creusés à l'écart du cimetière. Je me penche, pousse un caillou du pied.

— Il va revenir, je dis. Ton fils va revenir.

Dans la nuit, je remplis le sac de mon frère. J'entasse des vêtements, ramasse au hasard des boîtes de conserve, fouille et trouve de l'argent, les billets de ma mère, sa réserve, une tirelire pour les coups durs, les gains de Zeb. Je suis prêt, je le crois, me donne encore quelques jours. Je m'assois sur le lit et regarde les photos, les déchire lentement. Puis je pense à mon père et je descends au garage, mon sac à l'épaule. Il a remis le revolver dans sa boîte de carton. Je le sors, le déballe du chiffon huilé et le glisse dans mon bagage.

5

Des fourmis, c'est ce que je me dis, juste de petites choses vêtues de noir en rangs serrés sous le soleil. Je reste en arrière, attends sans trop y croire, me dis qu'il peut encore apparaître. Je l'ai cru durant la messe, je me suis retourné à chaque raclement de gorge ou murmure échappé, mais il n'est pas venu, n'arrivera pas aujourd'hui. Je laisse le cortège prendre de l'avance et m'essuie le front. J'ai chaud, transpire sous ma veste, sens ma chemise coller à mon corps et me glacer le dos. Le ciel est bleu, translucide. Pas un nuage qui pourrait atténuer cette sensation de fournaise. Je pense à ma mère allongée dans sa boîte, me souviens des charognes photographiées au bord de la piste, de la peau de Steve, de la couleur de sa jambe marbrée de jaune. Je ne dois pas rester seul, penser à ces choses. Je me décide et rattrape le cortège, me presse de retrouver Lou et Lilia, m'attarde avec elles avant d'avancer plus vite pour rejoindre mon père. Il est encadré de Chad et de Martin, et ils se parlent tous les trois à voix basse.

— Au lac, dit Chad, qui se tait en me voyant arriver à leur hauteur.

Quelques mètres encore. Le cortège ralentit et le curé s'éloigne pour contourner la fosse et nous faire face. Son visage empourpré ruisselle. Il patiente, les mains jointes, puis il ouvre les bras et les lève afin de rassembler ses fidèles autour de la boîte de bois. Il agite son encensoir, ouvre son missel et demande au Seigneur miséricordieux d'accueillir en son royaume cette âme perdue. Les phrases sont vite débitées sous la chaleur, et la première pelletée de terre tombe bientôt sur le cercueil. Juste après, j'embrasse des joues couvertes de sueur et serre des mains moites, murmure le même merci inaudible qu'à l'église. Le soleil a bientôt raison des fourmis qui toutes se pressent en direction du village. De l'eau, ou sinon se rendre au bar, profiter du buffet. Quand tous ont disparu, je regarde les deux hommes combler la fosse. Ils n'osent pas parler en ma présence et je m'éloigne en direction du muret. Je retire ma veste, enlève ma cravate et déboutonne ma chemise. Je reprends ma place, vigie muette, et je surveille la piste, m'oblige à ouvrir grand les yeux.

— Demain, ou après-demain, bientôt en tout cas, je dis.

Ce sont ses mots, ceux qu'il me murmurait pour me faire patienter, sa manière à lui de retarder le grand départ. Des mensonges. Je compte les autos sur la piste, sais qu'il n'est dans aucune d'elles. Samedi, jour de courses et balade au centre commercial. Je ne fais bientôt plus attention à la poussière levée et hésite à redescendre au village, à me joindre aux autres autour du buffet. Je fouille dans mes poches, trouve deux cigarettes volées dans le paquet de mon père, en coince une derrière mon oreille et allume la seconde. Assis contre le muret, je tente d'oublier les images d'horreur qui défilent dans ma tête et se superposent à celles des cerisiers en fleurs. Et je ferme les yeux, marche à ses côtés sous une pluie de pétales en direction du mont Fuji Yama, souris à mon grand frère et l'insulte en même temps, lui montre notre mère dans son cercueil de bois. Je somnole aussi, me réveille plus tard au milieu d'un cauchemar, allume ma dernière cigarette et frissonne. Le vent s'est levé et ma chemise est sèche depuis longtemps. J'enfile ma veste et me décide à rentrer. J'évite la tombe, sais que je reviendrai, que j'apporterai un bouquet, que j'attendrai de voir le prénom de ma mère gravé sur la plaque de marbre avant de partir pour de bon. Je descends de la colline, jette un coup d'œil sur la piste et ramasse un bâton. Je fauche bientôt tous les pissenlits et les chardons sur mon passage, frappe et m'acharne sur les plantes en fleurs, fouette l'air et regarde les graines s'envoler et flotter, se disperser au hasard, retomber plus loin.

— Poussière, tout n'est que poussière, je murmure.

Et je marche ainsi jusqu'à la maison, me répétant ces quelques mots, les prononçant de plus en plus fort jusqu'à les crier à tue-tête.

— Poussière, tout n'est que poussière. Poussière…

Et je me fige soudain devant l'auto de mon frère stationnée dans la cour. Je balance mon bâton et me précipite à la porte de la baraque.

— Tiens, te voilà, toi!

Chad et Martin sont assis avec mon père à la table de la cuisine. Ils portent encore tous les deux leurs costumes noirs. Aux pieds, ils ont enfilé des bottes de caoutchouc.

— Qu'est-ce que t'as foutu, au lac?

— Quoi? je dis.

— Au lac, Ray. Le canot, c'est toi? demande Chad.

— J'ai rien fait, je le jure, je dis en pensant au cadavre de Phil.

— T'as bien été au lac, non?

— Ouais, je réponds.

— Et tu savais pas que l'auto de ton frère était là-haut? Tu le savais pas? T'as rien vu, c'est ça? Non, mais, tu nous prends pour qui, Ray?

— Je le jure, je répète. Je sais rien du tout, moi.

6

Je l'entends parler au téléphone et je le vois ensuite tourner autour de la bagnole. Je suis dans la chambre de Zeb et j'ai raclé un petit rectangle sur une des vitres, gratté la couche de peinture noire que j'avais appliquée au printemps, une meurtrière assez large pour avoir une vue sur la cour. J'y suis monté hier et ne suis pas redescendu depuis. J'ai travaillé toute la nuit, trié mes négatifs, développé plusieurs portraits de ma mère, agrandi son visage, uniquement ses yeux, découpé plus tard toutes mes photographies pour ne garder que son regard, les longs cils qu'elle avait, cet éclat au fond de l'œil, quelque chose de vivant qui s'est éteint petit à petit. J'ai aussi plaqué un négatif de Steve sous l'objectif de mon agrandisseur, choisi une prise de vue assez nette pour qu'on puisse reconnaître son rictus tordu, sa jambe esquintée et voir la forêt alentour. Une preuve de sa noyade, une simple photo que je compte laisser en souvenir avant de quitter le village. Je vais partir et tout oublier, tout oublier comme j'ai oublié le Japon et les canards laqués pendus par le bec, toutes ces fausses images qui m'ont fait rêver, m'ont emporté au plus loin.

Sayonara, Zeb, *sayonara*.

Et je rigole tout seul, me penche en avant, exécute plusieurs courbettes tout en me tirant les paupières sur les tempes.

Sayonara, mon frère.

Je descends plus tard à la cuisine et je croise mon père. Il est noir de cambouis, ses manches relevées jusqu'aux coudes.

— Tu veux que je t'aide? je demande sans savoir ce qu'il fait vraiment.

Il m'ignore, sort deux bières du frigo et retourne s'enfermer dans le garage. Le soir il y est toujours et, quand je le croise à nouveau, je comprends que nous sommes devenus deux étrangers sur un territoire inconnu, qu'aucune parole ne peut être échangée entre nous. Même la baraque ne respire plus comme avant. Elle étouffe, craque et gémit, pareille à un vieillard arthritique. Tout est mort, enveloppé d'un linceul invisible, et la pendule jamais remontée est arrêtée. Je fixe les aiguilles. La petite marque le quatre et la grande, en berne, pointe en direction du sol. Il y a de la vaisselle sale dans l'évier, une éponge qui flotte sur l'eau grasse. Je devrais faire quelque chose, mais je fuis la pièce, sors de la maison et m'approche du garage. Mon père est couché sous la bagnole, il travaille toujours. Il a ouvert le capot, démonté une partie du moteur et jeté une couverture sur le ciment froid pour y déposer les pièces. J'ai l'impression qu'il veut désosser la voiture au complet, en démonter toutes les parties pour la reconstruire ensuite. Il a repris vie, n'a descendu que quelques bières dans sa journée, une quantité minime par rapport à son habitude. J'évite de le déranger et m'éloigne rapidement. Le ciel est d'une teinte orangée et de petits nuages défilent vers le nord. La nuit, bientôt. Je reste planté au milieu de la cour, attends je ne sais quoi et nourris le chien, le caresse, lui parle à l'oreille.

— Demain, je lui dis tout bas. Demain, je fous le camp.

Ma décision est prise. Je continue à le caresser et me demande pourquoi je ne l'ai jamais appelé par son nom. Okko. Il n'y a que Zeb qui le nommait ainsi. Mon père, lui, ne l'a jamais supporté et ma mère disait le chien, comme moi. Mais elle le disait parce qu'il était toujours fourré dans ses jambes à la déranger, qu'il fallait toujours le nourrir, que mon frère ne s'en occupait pas. Je le détache, marche avec lui jusqu'à la plage, lui lance des morceaux de bois trouvés dans l'obscurité, des branches ou des bouts de planche qu'il me rapporte et que je lui renvoie à la limite des vagues. Je le fais jouer, lui offre peut-être son dernier instant de liberté, sachant qu'il finira au bout de sa chaîne, chien méchant parce qu'affamé, oublié. Je le laisse courir, cours derrière lui, le siffle quand on arrive au bord des premières maisons, lui laisse le choix de la direction, le surveille de loin. On remonte ainsi vers le village et on continue dans la rue de Lou. En passant devant l'appartement, je me souviens de ce matin où Lilia m'a ouvert alors que Zeb était déjà dans son autobus, parti en direction du sud. Je m'arrête un instant, vois la lumière dans l'appartement et une ombre qui se déplace. J'ai envie d'aller frapper à la porte, me retiens et continue à marcher. Arrivé proche du bar, j'entends des voix et des rires. Je change de trottoir et appelle le chien.

— Il est ici, ton chien, avec moi.

Lou.

Je marche plus vite.

— Ray, attends-moi! Il faut que je te parle.

Je ralentis et elle me rattrape.

— Ray, elle dit à voix basse.

Puis elle se tait, se retourne, craintive, allume une cigarette en tremblant. Ses yeux brillent à la lueur de la flamme. Ils sont noirs, bien plus noirs que d'habitude, maquillés, ses cils épaissis de rimmel. Ses lèvres aussi sont plus fardées, plus rouges.

— Je suis allée chez vous, tout à l'heure. J'ai vu ton père, mais j'ai pas pu lui parler. C'est à toi qu'il faut que je le dise, Ray.

— Quoi?

— Ton frère. Je devais avoir des nouvelles, il devait m'appeler. Je l'attends depuis deux jours, mais... Enfin, je sais pas.

— T'as de la chance, je dis. Deux jours, c'est pas long.

— Je sais qu'on t'a joué un sale tour, Ray, je suis bien d'accord. Mais là, je m'inquiète. Il m'a même pas téléphoné, tu comprends? Il aurait dû, il devait le faire, il voulait savoir comment ça s'était passé pour ta mère, si t'avais tenu le coup. J'ai un mauvais pressentiment, Ray, c'est ça que je voulais te dire, juste ça.

Elle peut être inquiète, ce n'est plus mon problème, je me moque bien de savoir s'il va lui téléphoner ou pas. Il a jamais appelé chez nous, jamais demandé s'il nous manquait. Je la regarde, vois son visage qui rougeoie quand elle tire sur sa cigarette, ses yeux noirs, des yeux qui m'ont fait rêver, m'ont obligé à rester au lit le matin, l'oreiller coincé entre les jambes. Mais c'est terminé tout ça, et je siffle le chien, m'éloigne, fais quelques pas avant qu'elle me rejoigne et m'oblige à lui faire face.

— Merde, t'es bouché, c'est ça?

— Quoi? je réponds. Qu'est-ce que tu veux que je te dise? Tu crois qu'il nous a donné de ses nouvelles? Jamais. Alors lâche-moi, maintenant, laisse-moi. Je peux rien faire, ni pour toi ni pour lui.

— Tu veux vraiment rien comprendre? Réfléchis un peu, fais marcher ta cervelle. Beef est parti juste avant l'enterrement, et depuis, j'ai pas une seule nouvelle de ton frère. D'après toi, ça veut dire quoi?

— Je sais pas.

— Ben, demande à ton père, demande-lui pourquoi il s'occupe de l'auto de ton frère. Et demande-lui pour qui. Demande-lui, Ray. Demande-lui et tu vas peut-être savoir ce qui est arrivé à Zeb. Beef s'absente et ton frère ne revient pas. T'en penses quoi, hein?

Elle écrase sa cigarette et fait demi-tour, me laisse seul sur le trottoir après m'avoir rempli la tête d'un paquet de questions.

Quand je reviens à la maison, je remarque la lumière dans le garage. Mon père est au-dessus de l'établi et il lime une pièce de métal. Il suspend son geste dès qu'il me voit, me fixe un instant, puis continue à travailler comme si je n'existais pas.

— Tu fais ça pour qui?

Il ne répond pas, ne s'occupe pas de moi. Je suis obligé de m'en approcher pour qu'il daigne me regarder à nouveau.

— L'auto, c'est quoi l'idée?

— Beef, il répond. L'auto et le garage. C'est ça, la vie. Quand tu perds, tu rembourses. Et ton frère a perdu, Ray, il doit rembourser. Maintenant, laisse-moi, j'ai du travail.

— Comment ça, l'auto et le garage?

— Ça lui appartient, tu comprends? Tout ça appartient à Beef, maintenant. C'est simple, non?

— Et comment ça?

— Parce que ton frère est un tricheur, Ray. Il l'a toujours été. Un tricheur et un menteur. Et j'y peux rien, Ray. C'est la vie qui veut ça. Va falloir apprendre à vivre autrement, toi et moi. Va falloir nous serrer les coudes. Maintenant, laisse-moi travailler.

7

Je me torture pendant des heures, me demande comment la rencontre s'est passée. Je ne pense plus qu'à ça, à mon frère quelque part et à Beef qui le retrouve, à leur arrangement, le garage et l'auto contre des dettes de jeu. Ça me bouffe de l'intérieur, me grignote comme un oiseau noir qui chercherait à m'ouvrir le ventre à coups de bec. J'imagine aussi l'autre possibilité, Beef qui lève son nerf de bœuf et frappe Zeb à la tête, le tue à force de cogner, le repousse ensuite du pied dans un fossé avant de s'essuyer le crâne de son mouchoir. Et mon père qui accepte le marché, démonte et remonte l'auto façon puzzle, la sort du garage et la nettoie, en lustre les enjoliveurs, efface toutes traces d'insectes morts collés au pare-brise. Je ne vois que son dos par la fenêtre de la cuisine, les gestes qu'il fait. Un chiffon à la main, il est accroupi et il astique, s'use la santé pour une ordure. Je détourne le regard et fixe la photographie de Steve. Elle est posée sur la table, en évidence. Mon père ne pourra pas la rater quand il viendra ouvrir le frigidaire, il sera bien obligé de passer devant, de me poser des questions ensuite. Je pourrai alors l'accuser de mentir, lui dire qu'il était avec eux quand ils ont *repêché* le cadavre au fond du bois avant de le ramener au village roulé dans une bâche. Je déplace une chaise, m'assois face au mur et fixe les cercles concentriques toujours aussi visibles. Il faudrait tout repeindre, effacer le passé afin de nous convaincre que la vie peut continuer. Mais c'est impossible, jamais je ne serai capable d'oublier sans connaître la vérité, sans savoir où est mon frère, ce qu'il fait, ce qu'il devient. J'aimerais au moins le revoir, l'entendre encore se moquer et sentir sa main dans mes cheveux quand il m'obligera à regarder dans une autre direction, me racontera de nouvelles histoires, des mensonges auxquels je recommencerai à croire avec plaisir. Je sais maintenant que c'est l'idée de partir qui me nourrissait, cette envie d'ailleurs, d'un autre monde. Puis il y avait cette peur chaque fois, cette impression d'être bien vivant quand il accélérait, dépassait le centre commercial, me disait que c'était le bon jour, que bientôt nous serions dans un avion, sanglés à un siège au-dessus de l'océan. Les geishas et les pêcheurs de calmars devenaient alors bien vivants, ils n'étaient plus de simples photos pour m'éloigner de la réalité, de Lou accrochée à son bras, de cet autre rêve qu'ils avaient ensemble.

— Qu'est-ce que tu fous assis là? demande mon père.

Je ne réponds pas, entends ses pas qui se dirigent vers le frigo. Il s'arrête et le silence devient soudain plus pesant. Je suis certain qu'il regarde la photographie, qu'il la tient entre ses doigts crasseux, reconnaît parfaitement le visage de Steve au milieu du bois.

— C'est quoi, ça?

Surtout ne pas me retourner, juste me concentrer sur le mur, ne penser qu'à ma mère, au canon de la carabine qu'elle a glissé dans sa bouche.

— Tu vas me répondre quand je te parle?

Il se déplace et son souffle se rapproche, son odeur.

— Ray?

Je ferme les yeux, guette sa main sur mon épaule, pense qu'il va me secouer, peut-être même me frapper. Mais il s'éloigne, ouvre le frigo et en sort plusieurs bières. Il ne dira rien, plus maintenant, n'avouera pas qu'il était avec eux. Il décapsule une bouteille et la boit cul sec, la repose sur la table, en décapsule une autre qu'il vide à la même vitesse. Je ne peux pas le regarder franchement, n'y arriverai pas. Il s'assoit et nous restons à écouter nos respirations, à attendre un mot, une parole qui briserait ce calme apparent. Je ne sais que dire, ou alors je dois parler du lac, raconter ce qui s'est passé au chalet, comment Beef a écrasé les doigts de Zeb et comment les autres se sont rués vers Lou afin de la déchiqueter comme une proie.

— Ton frère reviendra pas. Jamais. Mets-toi bien ça dans la tête, Ray.

— Tu sais où il est?

— Au sud.

— C'est Beef qui te l'a dit?

— Ouais.

— Et pour Steve?

Il ne répond pas et se déplace à nouveau, tourne dans la pièce, ouvre et referme le frigidaire. Je ne bouge pas, reste immobile, attends qu'il vide une ou deux autres bouteilles, qu'il se décide enfin à parler. Mais il ne dit rien, il allume une cigarette et boit tranquillement sa bière à petites gorgées.

— Pour Steve? je répète.

— J'en sais rien du tout, il finit par avouer. On l'a trouvé dans le bois, grâce au chien, et on l'a trimballé jusqu'à la rivière. Il était mort de toute façon, et il puait, peut-être à cause de sa jambe. On aurait dit qu'il était complètement pourri. On l'a déshabillé et trempé dans l'eau, puis on a nettoyé ses vêtements. C'était mieux, selon Beef, pour éviter les soupçons, éviter qu'un étranger mette le nez dans les affaires du village.

— Et tu t'es pas demandé pourquoi?

— Non, il dit. Et je m'en fous, ce sont pas mes problèmes, ça me regarde pas. J'évite de m'en mêler, mais je sais que c'est en rapport avec ton frère, à cause de l'argent qu'il doit, de sa façon de manipuler les cartes et les gens. Maintenant, il est comme interdit de séjour ici. Et c'est sûrement mieux, ben mieux pour tout le monde. Il va pouvoir refaire sa vie, en commencer une autre. Pis toi, tu ferais mieux d'arrêter de te poser des questions et de fouiner comme tu le fais depuis si longtemps. C'est comme ça, Ray, il faut simplement tirer un trait sur le passé, tout oublier. On doit tout oublier, essayer de croire que c'est possible.

J'ouvre lentement mes paupières et vois les cercles concentriques.

— C'est Lou qui l'a tué, je dis.

— Qui?

— Steve, je réponds. C'est Lou. C'est elle qui l'a tué. Et Phil, aussi. Au lac. Il est sous le canot, accroché à un sac de pierres. Elle me l'a raconté, elle me l'a avoué. Et tu sais pourquoi? Tu veux que je te dise ce qui est arrivé au chalet? Tes amis, tes bons copains, ils ont cogné Zeb, ils l'ont roué de coups, et ils ont obligé Lou à marcher à quatre pattes. Et ils l'ont violée. Tu le savais pas? Ils t'ont rien dit? Et toi, t'es là à bricoler une auto, à la remettre en état pour un salaud. Je…

— Tais-toi, Ray! Tu racontes n'importe quoi. C'est dans ta tête tout ça, ce sont que des histoires, seulement des histoires.

— Elle me l'a dit!

— Elle t'a raconté n'importe quoi. Elle t'a fait croire à un paquet de conneries. Réveille-toi, Ray, arrête ton cinéma. Merde, t'es devenu maboul. T'as quelque chose qui fonctionne pas.

Il s'énerve, et une chaise tombe au sol. Juste après, il claque la porte. Je reste seul, respire à peine, attends que mon cœur se calme dans ma poitrine. Il peut me traiter de fou, mais pour Phil, je sais, pour Phil, j'étais là, j'ai tout vu, je n'ai rien inventé. Je bondis et le rattrape dans la cour.

— J'y étais, je crie en approchant de l'auto. J'étais au lac, moi, et j'étais aussi dans le bois, avec Steve. T'as vu la photo? Je vais aller la leur montrer.

Mon père fait volte-face, lâche son chiffon et me ceinture avant de m'entraîner dans sa chute. Nous roulons au sol et ses bras s'agrippent à moi.

— Un bon conseil, il dit en me serrant le cou. Tu vas rentrer à la baraque et te calmer. Les problèmes, il y en a eu assez comme ça. Et j'ai pas envie qu'il t'arrive quelque chose.

Je me débats, cherche à mordre, essaie de lui tirer les cheveux. Il me frappe et me relève par le col, me tire à lui.

— Arrête tes conneries, Ray. T'as compris? il me dit en me soufflant son haleine au visage.

Je reçois une autre claque, plus forte, mais je ne baisse pas les yeux, je le défie comme je peux.

— Joue à ce jeu-là, Ray, ton frère y a joué, et tu seras forcément perdant. Je dis ça pour toi, pour te protéger.

On est seuls, maintenant. Juste tous les deux. Alors maintenant, arrête tes conneries. S'il y a quelque chose à régler, je vais m'en occuper. T'as ma parole.

Il referme sa prise, m'étouffe à moitié, me conduit comme un chien au bout de sa chaîne, me traîne vers le garage.

— Tu vas rester ici, Ray. Tu vas dormir ici et demain t'y verras plus clair.

Et il me pousse à l'intérieur du bâtiment, referme la porte à clef derrière lui.

8

Je casse et détruis tout ce qui me tombe sous la main. Je fais péter les bouteilles vides, lacère le lit de camp, tords les outils entre les mâchoires de l'étau, crève les bidons d'huile et réussis enfin à libérer l'oiseau noir en moi, ne ressens bientôt plus qu'une boule de haine au sein de mes entrailles, quelque chose de violent qui se liquéfie sous ma peau et m'oblige à hurler, à frapper, à cogner contre la porte close, à vouloir en démonter les charnières pour me retrouver à l'air libre et respirer. Mes tentatives tournent à l'échec et je m'écroule épuisé sur le ciment, les jointures en sang. Je reste longtemps couché sur le sol, vois le jour décliner, ne me relève qu'à la nuit tombée, quand il fait bien noir et que les bruits extérieurs ont disparu. Quelqu'un est venu et a parlé à mon père, puis ce même quelqu'un s'est éloigné et la voix s'est évanouie. J'allume le néon et fouille sur l'établi, entasse tous les produits dangereux autour d'un bidon d'essence, glisse dans ma poche une boîte d'allumettes. Je vais sortir, faire péter cette serrure. Je fouille dans mon sac, celui de Zeb, et en extirpe le revolver, le casse en deux. Six balles, six trous. Je m'approche de la porte et, bras tendu, je vise la serrure, glisse mon index sur la détente. Je tremble, j'ai peur des éclats et du bruit, du ricochet possible. Je me calme, approche l'extrémité du canon du trou de la serrure, appuie lentement sur la détente, me protège le visage de la main gauche. Je pense à ma mère, au courage qu'elle a dû déployer pour faire ce même geste avec son orteil, je pense à ça et me demande pourquoi mon père n'a rien empêché. Il était là, présent, il devait l'avoir vue se déchausser et saisir la carabine, avaler ce morceau de fer comme un sexe.

La puissance du coup se répercute dans les muscles de mon bras. Mes oreilles bourdonnent, sifflent, et une odeur de poudre et de ferraille chauffée m'enivre. Le bloc serrure pendouille et la porte est ouverte. Je n'ai plus qu'à la pousser pour me retrouver sous les étoiles. Je reste un moment interdit, ne sachant plus vraiment quoi faire de mon corps. Je ressens toujours cette rage au fond de moi, une envie de frapper, de crier. Je marche jusqu'à la niche du chien, le libère de son collier.

— C'est fini, je dis, je t'abandonne.

Je lui dis ça et devine au même instant que je ne me suis pas échappé du garage pour m'enfuir ainsi. La maison est obscure, mon père est au bar, avec eux, avec Beef, avec Lou qui sert à boire, qui tourne et se penche autour de leur table, leur offre un morceau de dentelle, une vue plongeante sur son décolleté, sourit à leurs blagues salaces, cherche encore à savoir qui est le troisième homme, celui qui mérite sa place au cimetière, dans ce trou creusé à l'écart des tombes. Je glisse alors le revolver dans ma ceinture et tourne le dos à la baraque. J'avance sans le vouloir, me déplace comme emporté par une force étrange. Zeb. Il est à mes côtés, me soutient et me guide. Il s'est glissé en moi, lui ou son fantôme, sa promesse de m'emmener un jour, et je réalise que je dois lui faire confiance, marcher dans son ombre et le suivre jusqu'au bout.

Le bar est fermé, mais ils y sont. Je les vois, les entends, entends surtout leurs rires, observe Lou derrière son comptoir, le regard noir qu'elle leur décoche à chaque éclat de voix. Je cogne à la vitre, attire immédiatement l'attention de Beef. Il pose son verre et se lève, marche d'un pas pesant jusqu'à la porte. Je rabats ma chemise sur la crosse du revolver, m'apprête à m'enfuir à toutes jambes.

— Qu'est-ce que tu fous ici, toi? Je croyais que t'étais enfermé?

Il sourit et me dévisage, me fait signe d'entrer, se retourne vers les autres et les interpelle:

— Regardez donc un peu qui vient nous voir. Allez, avance, il ajoute en me poussant d'une bourrade.

Je trébuche et me retrouve le nez sur le plancher. Je n'essaie même pas de me relever, attends simplement les coups. Mais rien ne se produit. Beef m'enjambe, retourne à sa place, se sert un autre verre et le boit sans me jeter un seul coup d'œil.

— Ray, il dit un instant plus tard. Raconte-moi donc ce que tu voulais faire avec tes photos?

Ma bouche se dessèche et j'ai soudain plus froid. Il va vouloir me faire parler. J'ai soudain dans la tête un bruit d'os brisés, de craquements secs, et je serre les poings, me recroqueville, essaie de m'enfouir sous les lattes de bois, de disparaître complètement.

— Tu parles ou tu veux que je t'aide?

Derrière mes larmes, les visages sont déformés, inquiétants. Je transpire, rampe sur le sol, cherche des yeux une table qui deviendrait un abri. Beef éclate de rire et me montre du doigt.

— Notre maître chanteur, messieurs, un p'tit cul qui va bientôt salir ses culottes.

Je ne suis plus seul. Une main se pose soudain sur mon corps, glisse sur mon front. Lou est sortie de derrière son comptoir et elle est penchée sur moi, me protège à sa façon.

— Toi, la pute, tu dégages.

— Laisse-le, merde. Tu vois bien que c'est juste un enfant.

Sur un geste de Beef, Chad et Martin quittent la table et s'approchent de Lou. Elle recule, saisit une bouteille par le goulot et la brise sur le comptoir.

— N'approchez pas, elle dit, paniquée.

Ils sourient, n'ont pas peur du tesson de verre qu'elle agite sous leurs yeux. On dirait même qu'ils apprécient le défi, s'en régalent d'avance. Ils sont en chasse, deux matous face à une souris, se la partagent déjà. Martin est le plus vif. Il frappe, envoie son pied, atteint Lou au ventre, la regarde suffoquer avant de plonger. Deux secondes plus tard, Chad est sur elle. Il vise la main, l'écrase d'un coup de talon, lui fait lâcher son tesson. Lou n'est plus qu'un animal affolé. Elle se débat, tente encore d'échapper à Martin, retombe à genoux, un bras tordu dans le dos, ses cheveux comme un rideau noir fermé sur son visage.

— Ça me rappelle notre petite séance au chalet, lâche Beef. Mais avant qu'on s'amuse, j'aimerais bien que tu nous racontes ce qui est arrivé à Phil. J'ai cru comprendre qu'il jouait au poisson. C'est vrai ?

Martin la relève, la promène comme un trophée, une chose qu'il aimerait dépouiller et vider.

— Tu veux valser, ma belle ?

Elle est secouée, se laisse manipuler, la tête pendante.

— Alors? Pour Phil? demande Beef.

Il n'est plus d'humeur à attendre. Il se lève, baisse la lumière et revient vers sa prisonnière pour lui saisir le menton et l'obliger à le regarder droit dans les yeux. Il m'a oublié. Je me déplace sans bruit, glisse lentement ma main le long de mon ventre et saisis la crosse du revolver coincé dans ma ceinture.

— Qu'est-ce qu'on fait? Tu parles ou je m'amuse avec toi? La dernière fois, j'ai pas vraiment eu le temps de goûter à ton cul. Tu comprends, j'avais pas trop envie de passer derrière le vieux. Trop dégueulasse!

Mon père. Ça me pète aux oreilles plus fort qu'un coup de feu. J'ai le souffle coupé. Je ne peux l'imaginer au chalet, ne peux accepter qu'il ait aidé à piéger Zeb, qu'il ait été dans la même pièce quand ils l'ont massacré. Et Lou? Est-ce qu'il a tout avoué à ma mère? Est-ce à cause de ça qu'elle a décidé de mettre fin à ses jours?

— Alors, la finfinaude, tu nous dis ce que t'as fait de Phil?

Je relève le chien du revolver et tends l'arme devant moi.

— Mon frère! je crie.

Et je fais feu, tire deux fois. Personne ne tombe.

— Je veux savoir où est mon frère, je dis, laissant couler mes larmes.

— Parti. Simplement parti, me répond Beef. Pouvait pas revenir ici. T'as entendu, Ray? Ton père s'est farci sa pute, comment crois-tu que Zeb puisse oublier ça? Oh, j'ai dû lui rappeler, parce que lui, il s'en souvenait pas vraiment. Ouais, je suis allé le retrouver, ton frérot, et je lui ai tout raconté. Sans omettre le moindre détail. Et on

s'est arrangés, on a passé un *deal*, tous les deux. L'auto et
le garage, une bonne affaire. Je...

— Tire, Ray. Tire sur ce gros con, hurle soudain
Lou en se débattant. Zeb devait revenir, tu comprends?
Il voulait m'emmener avec lui, il...

Beef la frappe du revers de la main et les lèvres de
Lou éclatent.

— Ta gueule, la pute! Il reviendra pas pour ton cul,
je te le jure. De toi, il en a plus rien à foutre.

J'appuie une nouvelle fois sur la détente du revolver,
essaie de mieux viser. Je descends un carreau.

— Toi, tu vas réussir à blesser quelqu'un si tu conti-
nues, rigole Beef.

Je le hais, lui et les autres, tous les autres. C'est quelquefois nécessaire de tuer. J'entends sa voix, la voix de
mon frère, les mots qu'il m'a appris quand il me donnait
le droit d'utiliser la carabine. Je calme ma respiration, me
souviens de ses conseils. Je presse la détente, vois Beef
qui s'écroule en hurlant. Il est touché, ma balle lui a fait
exploser le tibia. J'en profite pour me relever, pour tous
les mettre en joue.

— Il me reste une balle, je dis, pointant mon revolver.

Et j'approche de Martin, le vise au front. Il libère
Lou, recule.

— Viens, Ray, foutons le camp.

Mais je ne bouge pas, je reste planté au milieu de la
pièce, fixe mon père qui n'a jamais levé les yeux. Je m'approche de lui, tiens toujours le revolver dans ma main.

— Ray, murmure Lou dans mon dos. Viens, allez,
suis-moi.

J'ai toujours cette boule de haine au fond de la gorge.
Je regarde mon père, m'approche encore. Je fais un autre

pas, tiens l'arme à deux mains, bras tendus. Encore quelques centimètres avant de toucher sa tempe, d'y coller l'extrémité du canon. J'ai froid, chaud, je transpire, suis agité de spasmes. Mon index, juste appuyer sur la détente.

— Ray! Fais pas ça, merde!

Je me retourne, regarde Lou. Elle est sur le pas de la porte, la bouche en sang. Beef, lui, grogne et tient son mouchoir sur sa blessure. Chad et Martin font dos au bar.

— Fais-le pas, Ray. Fais pas ça. S'il te plaît.

Je baisse les bras, recule vers la sortie et me mets à courir tout en pleurant.

9

La nuit et la pleine lune, mon ombre projetée sur le sol. Je ne m'arrête pas, continue ma course, tiens toujours le revolver dans ma main, arrivé à la maison. J'ai les poumons au bord de l'explosion, un mal de chien à reprendre mon souffle. Le garage, foutre le feu, me venger de mon père, de Beef. Une allumette et la craquer, entendre le souffle de l'essence, voir les premières flammes lécher les murs, rester assis et attendre le jour.

Au lieu de ça, je ramasse mon sac, le jette sur mon épaule et marche jusqu'à la maison. La cuisine, les cercles concentriques. Je cherche un crayon, un papier, écris SUR SA TOMBE en lettres majuscules. Puis je casse le revolver en deux, en sors la seule cartouche intacte et la dépose sur mon mot. Je ne veux rien faire d'autre, ne peux pas, et je quitte la maison, me dirige vers le cimetière, en grimpe la côte, cherche entre les tombes celle de ma mère. Je la trouve et reste devant, droit comme un piquet, raide, des larmes dans les yeux. Je ne dis rien, attends simplement que le jour se lève, qu'une lueur apparaisse à l'est, un éclat blanc dans le ciel. La plaque de marbre est posée, les lettres et les chiffres ont été gravés. Je m'approche, dépose mon arme sur la tombe, me demande si mon père viendra, s'il introduira sa cartouche dans le barillet, ce qu'il voulait faire il y a longtemps, jouer sa vie à la roulette russe.

Partir.

Je ramasse mon sac, redescends vers le village, regarde la mer une dernière fois. La piste, seule issue vers un ailleurs, peut-être cinq kilomètres à marcher avant de choisir une destination, nord ou sud, et de tendre le pouce.

Je longe le bois, me souviens du chien et de Steve, de son visage. Je presse le pas, veux oublier, tout oublier.

Une voiture dans mon dos. Je me retourne, c'est l'auto de Zeb. Lou est au volant, vitres ouvertes, tous ses bagages entassés derrière.

— Tu vas où ? elle me demande.

— Loin, je réponds. Le plus loin possible.

— Alors, monte.

J'ouvre la portière et m'assois à côté d'elle. Elle passe une vitesse, déboîte et accélère. Il n'y a plus rien à dire. Je fouille dans mon sac et en ressors la cassette de Zeb. Je la glisse dans l'autoradio, sais qu'elle se déroulera jusqu'au bout.

Dans la même collection

Achille, Stéphane, *Corbeau et Novembre*.
Alarie, Donald, *David et les autres*.
Alarie, Donald, *J'attends ton appel*.
Alarie, Donald, *Thomas est de retour*.
Alarie, Donald, *Tu crois que ça va durer?*
Andrewes, Émilie, *Les cages humaines*.
Andrewes, Émilie, *Conspiration autour d'une chanson d'amour*.
Andrewes, Émilie, *Eldon d'or*.
Andrewes, Émilie, *Les mouches pauvres d'Ésope*.
April, J. P., *La danse de la fille sans jambes*.
April, J. P., *Les ensauvagés*.
April, J. P., *Histoires humanimales*.
April, J. P., *Mon père a tué la Terre*.
Aude, *Chrysalide*.
Aude, *L'homme au complet*.
Audet, Noël, *Les bonheurs d'un héros incertain*.
Audet, Noël, *Le roi des planeurs*.
Auger, Marie, *L'excision*.
Auger, Marie, *J'ai froid aux yeux*.
Auger, Marie, *Tombeau*.
Auger, Marie, *Le ventre en tête*.
Belkhodja, Katia, *La peau des doigts*.
Blouin, Lise, *Dissonances*.
Bouyoucas, Pan, *Cocorico*.
Brochu, André, *Les Épervières*.
Brochu, André, *Le maître rêveur*.
Brochu, André, *La vie aux trousses*.
Bruneau, Serge, *Bienvenue Welcome*.
Bruneau, Serge, *L'enterrement de Lénine*.
Bruneau, Serge, *Hot Blues*.
Bruneau, Serge, *Quelques braises et du vent*.
Bruneau, Serge, *Rosa-Lux et la baie des Anges*.
Carrier, Roch, *Les moines dans la tour*.
Castillo Durante, Daniel, *Ce feu si lent de l'exil*.
Castillo Durante, Daniel, *La passion des nomades*.
Castillo Durante, Daniel, *Un café dans le Sud*.
Chatillon, Pierre, *Île était une fois*.
de Chevigny, Pierre, *S comme Sophie*.
Clark, Marie, *Le lieu précis de ma colère*.
Cliche, Anne Élaine, *Mon frère Ésaü*.
Cliche, Anne Élaine, *Rien et autres souvenirs*.

Corriveau, Hugues, *La gardienne des tableaux*.
Croft, Esther, *De belles paroles*.
Croft, Esther, *Le reste du temps*.
Deschênes-Pradet, Maude, *La corbeille d'Alice*.
Désy, Jean, *Le coureur de froid*.
Désy, Jean, *L'île de Tayara*.
Désy, Jean, *Nepalium tremens*.
Drouin, William, *L'enfant dans la cage*.
Dubé, Danielle, *Le carnet de Léo*.
Dubé, Danielle et Yvon Paré, *Le bonheur est dans le Fjord*.
Dubé, Danielle et Yvon Paré, *Un été en Provence*.
Dupré, Louise, *L'été funambule*.
Dupré, Louise, *La Voie lactée*.
Dumont, Claudine, *Anabiose*.
Forget, Marc, *Versicolor*.
Gariépy, Pierre, *L'âge de Pierre*.
Gariépy, Pierre, *Blanca en sainte*.
Gariépy, Pierre, *Lomer Odyssée*.
Genest, Guy, *Bordel-Station*.
Gervais, Bertrand, *Comme dans un film des frères Coen*.
Gervais, Bertrand, *Gazole*.
Gervais, Bertrand, *L'île des Pas perdus*.
Gervais, Bertrand, *Le maître du Château rouge*.
Gervais, Bertrand, *La mort de J. R. Berger*.
Gervais, Bertrand, *Tessons*.
Guilbault, Anne, *Joies*.
Guy, Hélène, *Amours au noir*.
Hébert, François, *De Mumbai à Madurai. L'énigme de l'arrivée et de l'après-midi*.
Laberge, Andrée, *Le fil ténu de l'âme*.
Laberge, Andrée, *Le fin fond de l'histoire*.
Laberge, Andrée, *La rivière du loup*.
Lachapelle, Lucie, *Histoires nordiques*.
La France, Micheline, *Le don d'Auguste*.
Lanouette, Jocelyn, *Les doigts croisés*.
Lavoie, Marie-Renée, *La petite et le vieux*.
Lavoie, Marie-Renée, *Le syndrome de la vis*.
Leblanc, Carl, *Artéfact*.
Leblanc, Carl, *Fruits*.
Léger, Hugo, *Le silence du banlieusard*.
Léger, Hugo, *Tous les corps naissent étrangers*.
Lepage, Éloïse, *Petits tableaux*.

Marceau, Claude, *Le viol de Marie-France O'Connor.*
Marcotte, Véronique, *Les revolvers sont des choses qui arrivent.*
Martin, Patrice, *Le chapeau de Kafka.*
Mihali, Felicia, *Luc, le Chinois et moi.*
Mihali, Felicia, *Le pays du fromage.*
Millet, Pascal, *Animal.*
Millet, Pascal, *L'Iroquois.*
Millet, Pascal, *Québec aller simple.*
Moussette, Marcel, *L'hiver du Chinois.*
Ness, Clara, *Ainsi font-elles toutes.*
Ness, Clara, *Genèse de l'oubli.*
Ouellette-Michalska, Madeleine, *L'apprentissage.*
Ouellette-Michalska, Madeleine, *La Parlante d'outre-mer.*
Paré, Yvon, *Les plus belles années.*
Péloquin, Michèle, *Les yeux des autres.*
Perron, Jean, *Les fiancés du 29 février.*
Perron, Jean, *Visions de Macao.*
Pigeon, Daniel, *Ceux qui partent.*
Pigeon, Daniel, *Chutes libres.*
Pigeon, Daniel, *Dépossession.*

Rioux, Hélène, *Âmes en peine au paradis perdu.*
Rioux, Hélène, *Le cimetière des éléphants.*
Rioux, Hélène, *Mercredi soir au Bout du monde.*
Rioux, Hélène, *Nuits blanches et jours de gloire.*
Roger, Jean-Paul, *Un sourd fracas qui fuit à petits pas.*
Rondeau, Martyne, *Game over.*
Rondeau, Martyne, *Ravaler.*
Saucier, Jocelyne, *Il pleuvait des oiseaux.*
Saucier, Jocelyne, *Jeanne sur les routes.*
Saucier, Jocelyne, *La vie comme une image.*
Tapiero, Olivia, *Espaces.*
Thériault, Denis, *La fille qui n'existait pas.*
Tourangeau, Pierre, *La dot de la Mère Missel.*
Tourangeau, Pierre, *La moitié d'étoile.*
Tourangeau, Pierre, *Le retour d'Ariane.*
Trussart, Danielle, *Le Grand Jamais.*
Trussart, Danielle, *L'œil de la nuit.*
Vanasse, André, *Avenue De Lorimier.*

Suivez-nous :

GARANT DES FORÊTS
INTACTES

*Achevé d'imprimer en septembre deux mille quatorze
sur les presses de l'imprimerie Gauvin,
Gatineau, Québec*